Juan Goytisolo
La Cuarentena

NARRATIVA MONDADORI

Diseño de cubierta: Enric Satué

Quedan rigurosamente prohibidas, sin la
autorización escrita de los titulares del
«Copyright», bajo las sanciones establecidas en las
leyes, la reproducción total o parcial de esta obra
por cualquier medio o procedimiento,
comprendidos la reprografía y el tratamiento
informático y la distribución de ejemplares de ella
mediante alquiler o préstamo públicos.

© Juan Goytisolo, 1991
© Mondadori España, S. A., 1991
Avda. Alfonso XIII, 50 - Madrid
ISBN: 84-397-1801-2
D. L.: M-31.232-1991
Impresión: Lavel

Printed in Spain

A J. L., in memoriam

1

La escritura de un texto supone la existencia de un fino entramado de relaciones entre los distintos nódulos que lo integran. Todo confluye en ella: acontecimientos ajenos, sucesos vividos, humores, viajes, casualidades, mediante su trabazón aleatoria con lecturas, fantasías e imágenes, en virtud de un ars combinatoria de cruces, correspondencias, asociaciones de la memoria, iluminaciones súbitas, corrientes alternas. Ésta emergió en mi horizonte en vísperas del año de la guerra. Había ceñido previamente su temática a la hora del tránsito y su escatología, incitado a ello por la desaparición súbita de una amiga y el afán de reanudar en la escritura mi delicada relación con ella: calas y espigueos en la «Divina Comedia», obras de Ibn Árabi, libros de Asín, diferentes versiones de la escala nocturna del Profeta, poemarios sufís, la "Guía espiritual" de Molinos editada por nuestro mejor poeta vivo y que ella llevaba consigo el día en que se desvaneció de mi vista. Las frecuentes referencias del místico murciano —Maestro Mayor, Sello de los Santos— al ojo de la imaginación y reino intermedio en el que residen las ánimas al salir de sus tumbas fueron así el núcleo liminar de una obra cuya necesidad se impuso definitivamente a mi ánimo al tropezar con las líneas que a continuación transcribo: «Cuando los espíritus vuelan al mundo medianero o barzaj, continúan en posesión de sus cuerpos y éstos adoptan la forma sutil en la que uno se ve a sí mismo en sueños. Pues el otro universo es una morada en la que las apariencias cambian de continuo, del mismo modo que los pensamientos fugitivos en la dimensión interior de éste.» En el momento en que me disponía a componer materialmente el libro, fallecí. Pasado del tiempo breve al infinito, me desprendí de mí mismo, conocí de golpe levedad y fluidez. Me veía desde fuera sordo y ciego, inanimado, insensible, rodeado de la atención de los míos y el dolor silencioso de mi mujer. Permanecí un lapso en la habitación, procurando no interferir con mi inconsistencia los movimientos cuitados y aguardé la llegada del lavador para cerciorarme de que cumplía los ritos conforme a mis disposiciones últimas. Aunque la noción de tiempo se desdibuja y anula en el itsmo que une los dos mundos, recuerdo no obstante que ordené mentalmente el texto y sus encaballadas planas durante el vagabundeo general de las almas en el período de la Cuarentena.

2

¿Allí también?

Insinuados primero, difundidos después con mayor nitidez, los compases iniciales del Concierto se habían adueñado sutilmente del ámbito con su ambigua e impregnadora familiaridad.

¿Cruzaba el amplio vestíbulo de un hotel? ¿Subía velozmente recluso en un ascensor holgado? ¿Volaba a nueve mil metros de altura en un avión de las líneas aéreas turcas, como ocurrió una vez, lo recordaba bien, en un vuelo interior de las mismas, entre Erzurum y Ankara? ¿Procedían de un sistema de altavoces hábilmente disimulado en el diseño funcional de un colmenar de turistas? ¿De la caja acolchada y muelle que cargaba y descargaba a comedidos y silenciosos clientes? ¿O de las hileras de asientos de cabina en esos minutos de tensión que preceden al despegue y aterrizaje de algún ataúd volador?

¿Cómo explicar si no la delicada estereofonía que parecía emanar de los confines indecisos de aquel espacio onírico, neblinoso, irreal? ¿Derivaba quizá del remoto mar sin orillas cuya contemplación turbaba la vista? ¿Era efecto irradiante del teatro de luces, chispas, resplandores, centellas, de epifanías y ocultaciones de inescrutable volubilidad? ¿O de origen puramente lumínico, como el aura que a veces les envolvía cuando diáfanos, teñidos, inundados de luz, examinaban con quieta atención los montes quebrados y ásperos, con cimas enturbantadas de nubes o el cielo pacífico y claro, de serena magnanimidad?

Pero no había ascensores ni hoteles, ni siquiera aviones, dijo. De otro modo se habría cruzado con ellos a lo largo de sus paseos. ¡Con el tiempo que allí llevaba no había visto ni oído alguno por mucho que escudriñara!

Hablaba sonriendo, como en la época en que acudía puntualmente al estudio con la versión mecanografiada de sus textos y, como entonces, hacía además de sacar del bolso su cajetilla de Gauloises Bleues, encender un cigarrillo, buscar nerviosamente entre el rimero de libros y revistas un elusivo cenicero, hábito del que no podía desasirse cuando le hablaba pese a la manifiesta carencia de bolso, tabaco y mechero en los parajes, como si estuviera condenada a mimar movimientos y gestos vacuos u obedecer a un ritual identificatorio a todas luces innecesario.

¿De dónde provenían las notas puras e intensas de aquel Concierto, divulgado en su mundo pretérito como única, contumaz sintonía de pesar y nostalgia? ¿Era el cruel sonido de la guitarra tocada por el ciego? ¿La adaptación más desgarrada del trompetista en el éxtasis jubiloso de su arrebato?

Se habían mirado de hito en hito, con perplejidad compartida, ofuscados por el brillo creciente de la esfera en la que se movían, luminoso raudal que se vertía sobre ellos y parecía circular, como en una radiografía, a través de sus esencias o huesos, maravillados mutuamente del fulgor y plenitud que emitían sus figuras en brusco e infuso recogimiento.

Le había visto llegar sin sorpresa, dijo ella. ¡Su separación fue tan abrupta! Oscuramente presentía que su comunicación no había cesado: que cuanto antes quiso decirle y no pudo, había sido simplemente pospuesto. Ahora todo era fácil y ligero, aunque el resabio de pasadas angustias la impulsara a buscar en el humo un sostén inane. ¡Tan próxima a él y tan distante! La escuchaba en silencio, como perdida en otro sueño, pero dejándola vacía y tranquila no obstante la escasez y cortedad de su afecto.

¿Eran el remordimiento y emoción del encuentro tras su ausencia brutal, no digerida, que hizo brotar las lágrimas de sus ojos secos, los que la sumían en aquel desamparo interno, pero imbuido de una fe oscura, más allá del arrepentimiento y dolor?

En el hemiciclo simbólico en donde se congregaban antaño siluetas familiares y amigas, paulatinamente desierto por los estragos de la edad y epidemia, ¿por qué precisamente ella y no otro viajero recién introducido al mundo de la sutilidad? ¿No requería en su situación, en vez de lenitivos, rigurosos cauterios? ¿Qué sendas la habían llevado hacia ella, como a una secreta querencia, por aquel ámbito brumoso, leve e indefinido?: ¿la sintonía evocadora del Concierto o una más íntima y soterrada señal?

¡Por una vez que no venía a consultarle algo ni aprovechar su conocimiento, que él calificaba irónicamente de tuerto, en alguna materia de su incumbencia, sin atreverse a rozarle la fimbria de su vestidura, tan lejos le sentía de ella y del cendal de sus formas corpóreas! ¡Allí podría aprovechar, al revés, su aleatoria experiencia, la inmerecida veteranía en un estado que había mudado en beatitud el aturdimiento inicial de su ligereza! Le hablaba con el rostro benigno y suave de quien no se prodiga ya en exterioridades y permanece tranquilo en su fuero, con sus cabellos finos, ojos zarcos e inconfundible hoyuelo de sus mejillas, cuando sonreía con delicadeza y una punta de timidez.

Divagaban, se embebecían en la audición del Concierto.

Relámpagos y brillos intermitentes aumentaban su luz intensa en un empíreo sin orto ni ocaso, ni diestra-siniestra, ni arriba ni abajo, circuidos ambos de nubes en hilachas, fluidas o densas, no sabían si cirros o cúmulos, nimbos o estratos. Todo aquello, ¿simulaba el pasado, como pretendía ella, o era añagaza y trampantojo de los sentidos?

Caminaban ingrávidos, cogidos de la mano. Te quedan cuarenta días, le había dicho ella, luego cambiarás de morada y quién sabe si entonces volveremos a vernos. Yo te guiaré y mostraré cuanto he visto desde que me desarrimé de todo lo sensible en el tramo de la escalera. Escucha la música, sus notas melancólicas y punzantes. Han sustituido la guitarra del ciego con el sonido de la trompeta que te cautiva y embarga. No planees aún, no pierdas pie. ¿No le regalaste a tu mujer la primera vez que salías con ella, según me contaste, el disco de Miles Davis con el «Concierto de Aranjuez»?

3

Entre sueños o nubes habías asomado la cabeza o lo que creías tu cabeza sin poder sustentar tal creencia en la certeza de un espejo misericordioso y asistías al inexorable espectáculo de la diáspora de naciones enteras, millares y millares de criaturas bozales y ciegas, fugitivas de tierras calcinadas y pétreas, en medio de cenicientos bosques y ríos enjutos. ¿Era la amenaza inaugural del infausto milenio la que dispersaba a los pueblos, en tumulto confuso, por toda la rosa de los vientos? ¿Buscaban refugio en aquel mar de espesas y apelmazadas tinieblas huyendo de la gehena voraz y cremante del arma nuclear o de la guerra química?

Avanzabas veloz por el paisaje asolado y los faros del automóvil en el que circulabas descubrían fugazmente espectros o sombras míseros y ofuscados, titubeando en la oscuridad de la carretera con una botella de aguardiente barato en la mano y un ascua de terror agazapada en la sima de sus pupilas.

¿Adónde iban y de quién escapaban?

¿Se habían cumplido las amenazas de los cuerpos blandos, sesos licuados, ciudades en ruina, miembros mutilados de incontables víctimas esparcidos en mares de sangre? ¿O serían turbas de espiritados y posesos ahuyentados por el temor e inminencia de su castigo?

Recorren la Tierra para maldecir sus ideales muertos y dogmas podridos, dijo ella, como si hubiera leído sus pensamientos.

El automóvil era el viejo DKW de tu infancia, tal vez un Lada desvencijado y mugriento que parecía moverse con sigilosa e inquietante autonomía. Bandas gregarias, embriagadas e hirsutas, surgían a cada paso de la negrura y os maldecían en lengua descomulgada, con expresiones turbias y habladas por infinitivo. Algunos corrían despavoridos, como liebres sorprendidas en su nocturno ajetreo, o se precipitaban, al revés, como polillas al ardor y consunción de la llama. Debías maniobrar entonces para esquivarlos, trazando eses por el asfalto apostillado de hoyuelos de viruela, con una destreza y prontitud que te tenían en vilo. Pese a la vetustez del modelo y motor achacoso y reacio, el vehículo se deslizaba cada vez más raudo, sorteaba de milagro los deslumbrados grupos de vagabundos cargados de bultos y su prole copiosa, arracimada y arisca.

Vislumbrabas emigraciones masivas, cadáveres desenterrados con saña, estatuas grandiosas derribadas de sus pedestales y destruidas a martillazos, tratados doctrinales y abecedarios políticos arrojados al fuego, quemas de huesos, calles y plazas desbautizadas, cuerpos agarrotados y reducidos a cenizas, viviendas arrasadas con padrón de ignominia, figuras mortecinas, mustias y desmedradas, embrollo y farándula de embaidores, greyes conducidas por lobos en vez de pastores, ni un grano de verdad, sin moles de polvo ni montañas de paja.

¿Se acercaban tras ello a la visión de los pisos helicoides, cielos astronómicos, círculos de la rosa mística, mundos sublunares derivados de la virtud informante que ilustra e inflama el verdadero sol? ¿O eran, como había leído antes del paso, meras fantasías y mentiras?

No seas impaciente, no tengas prisas. Aunque por una vez me adelanté a la experiencia y aprendizaje de tus sentidos, no he visto nada de eso con mis ojos ni siquiera en los programas del Circuito Televisivo. Esas gentes descubren, como advirtió mucho antes de que viniéramos al mundo un paisano tuyo, que no son los elementos asociales, depravados, criminales, vagabundos, lumpen y vándalos que pintaba la propaganda de sus regímenes sino adeptos ilusos de maestros que «pacen los vientos de teorías engañosas, dan piedras por pan, hojas por fruto y por verdadero alimento tierra desabrida con venenosa miel mezclada». Ahora queman con rabia los ídolos que adoraron y maldicen el sacrificio inútil de generaciones enteras.

Te dormiste al volante y soñaste en un inmenso almacén atestado de pinturas, retratos, estatuas y bustos del Guía, Salvador y Padre de la Patria, sólido, cabezón, macrocéfalo, en toda la gama de posturas y atuendos que la inspiración alicorta de los artífices había prodigado como ejemplo servil de estolidez bien pagada: ¡montado a caballo con quepis de gendarme y espada flamígera!, ¡apuntando a un futuro radiante con el ademán severo y tajante del guardia que canaliza el tráfico!, ¡vestido de levita y sombrero de copa, con pinta de mago o ilusionista!, ¡de smoking, pechera almidonada y cuello de pajarita, en gardelesco y engominado profesor de baile!, ¡pintado con ojos azulpensante y cejas frondosas de hipnotizador!, ¡einsteinianomeditativo en su laboratorio de investigador científico!, ¡acariciando a una niña inocente, rubia y risueña, llena de celestiales donaires!, ¡inclinado sobre el plano de un campo de batalla, señalando con índice brujo el punto débil del dispositivo enemigo! ¡Millares de cuadros descolgados de oficinas y centros oficiales, infinidad de estatuas apresuradamente retiradas de parques y avenidas, bustos y más bustos aguerridos en inactividad forzada, testas gloriosas con los párpados y lomo de la nariz polvorientos ocupaban hectáreas de almacenes y hangares destartalados, te abrumaban con el efecto multiplicador infinito de sus miradas llameantes y poses bizarras!

Algunas siluetas conocidas discurren achicadas en medio del bosque de peanas y pedestales de piedra, encorvados por el peso de sus adocenadas lisonjas, de su defensa como verdad maciza y de gran tomo de los eructos del patán reproducido en las estatuas. Los altavoces de este cobertizo siniestro difunden sin tregua poemas y loas a don José y Mauricio, la Dolorosa y Fidelio e inútilmente pretenden escapar a ellos con aleteos torpes y gestos cansinos.

(¿Sueñas, sigues soñando?)

Multitudes insectiles, atareadas, en bullebulle perpetuo, desgarran, incendian, derriban, destruyen, reducen a partículas los símbolos del Genio, queman sus cédulas de alistamiento y carnés del Partido.

El Lada (¿o es el viejo DKW?) esquiva con portentosos zigzagueos a una turba de sonámbulos y parece levitar sobre la carretera que se crea y deshace a su paso, borrándose del suelo como por efecto de un espejismo.

No temas, dice ella. No nos hemos movido. No te has aclimatado aún. A mí me ocurría también al principio pero después de vivir en oscuridad y desamparo, pensando estar perdida, me hallé de golpe fuerte y serena, sin haber esperado jamás tanta dicha.

(Estáis en una pérgola o cenador rústico cercado de nubes y ella repite maquinalmente el ademán de encender su inexistente cigarrillo, cae en la cuenta de su anacronismo y acaba por sonreír también contigo con esa leve y jovial complicidad que os unía.)

Mira, ¡los prismáticos!

Enfocas con ellos un angosto ataúd de llamas, una cáfila de hombres y mujeres desnudos de párpados cosidos con alambres, un árbol invertido de raíces celestes y ramas vueltas hacia abajo, una culebra tan larga como un mes de camino.

Una dama con una sombrilla, vestida de un traje de organdí de color lila, con vuelos de encaje y grandes lazos, collares de abalorios, medallas y camafeos, medias blancas, zapatos de tacón abrochados en el empeine con joyas y diamantes falsos, pasea entre las balaustradas musgosas y macetas de hortensias.

(¿Quién es? ¿No la has visto ya en algún lado?)

Bruscamente caes en la cuenta de que has perdido contacto con tus examinadores. El descubrimiento te alarma pero ella te aquieta a punto con su mirada de límpida acuosidad.

El tiempo no corre aquí como antes. Por eso no verás relojes ni nada parecido. Allí hablan de días, meses y años; pero una pausa puede eternizarse entre nosotros en medio del interrogatorio. ¡Basta con que conecten el vídeo y revivan para ti episodios y escenas de tu pasado!

(La visión del puente aéreo, luminoso, irreal se mezcla con la de escenas de fragor y de pánico, tumulto acerbo de voces, lenta y pertinaz llovizna de copos de fuego.

¿Vivía muriendo la noche de la soledad?)

4

Como un Diablo Cojuelo apostado en la escarpa vertical del Monte que según alhadices será uno de los jardines del edén o encaramado a alguno de los alminares contiguos al mausoleo de la inflamada por el Puro Amor, atalayas la vasta extensión de cúpulas, tumbas, mansiones, zaguíes, medersas que habías recorrido años atrás para domesticarla con tu natural prurito de rompesuelas, tenuemente bañada ahora por el albedo de la luna, majestuosa, pacífica y quieta, con sus moradores dormidos en los panteones en medio de un denso silencio impregnado de sosiego y benignidad. ¿Formas parte de la pléyade de sombras errantes, entregadas al recuerdo y nostalgia durante la cuarentena? ¿Planeas y vuelas con ellas desde la mezquita y miradores de la Ciudadela hasta los túmulos y conventos derviches del Mukattam?

Sesgas el aire vivo y estimulante como un cometa o ave, sorprendida de tu propia agilidad y ligereza, levitando sobre patios de baldosas decorados con aleyas, sepulturas rematadas en cipos, pórticos con tiestos de flores y plantas de hoja perenne, cenotafios con azulejos e inscripciones cúficas. Un fino instinto o la existencia secreta de un órgano dotado de funciones estabilizadoras y direccionales te concede la ingravidez rauda y embriaguez extática, el vuelo rasante de tumbas cubiertas de pencas de palmera, platos con semillas y cuencos de agua, la inmovilidad temerosa de quien se cierne en un ámbito sacro de recogimiento y tristeza, embebido no obstante de una misteriosa y confiada piedad.

Estás sola, nadie te acompaña en la nocturna erranza por la ciudad desierta. Has atravesado las etapas de pasiva sequedad, tinieblas, angustias, contradicciones, repugnancia continua, interior desamparo, desolación pugnaz de las que hablaba la «Guía espiritual» que le diste y ¿eres ya fe pura, sin imagen, forma ni figura, inmersa en tu nada y devuelta a tu núcleo? ¿Por qué te han abandonado los escudriñadores en el subterráneo de piedra berroqueña y de techo abovedado, sin tomarse la molestia de ajustar siquiera la losa que cubre la escalera estrecha y abrupta? ¿Descuido suyo o voluntad de ponerte a prueba, otorgándote una tregua de aquilatamiento y recuerdo?

¿Cómo dialogar, a dos mil kilómetros de distancia, con el cónclave de fantasmas de tu niñez y familia? ¡Madre tronchada y bruscamente disuelta en la nada, padre perdido y a gotas recobrado en sus humildes querencias de la medina, abuelos apuntados por ti con inmisericorde haz de luz cruda antes de la Gran Resurrección anunciada, asociados para siempre en tu memoria y conciencia a imágenes de iglesias con un Dios de piedra, Cristos llagados y quiméricos, Dolorosas sangrantes, ceremonias baldías, comuniones estériles, sentimientos muertos! ¿Debes volver aún a inquietar sus cenizas y remover sus huesos, exponer a sus sombras un cuadro asolador de miserias humanas y enconos fratricidas, el fruto amargo de la semilla sembrada en la infancia? ¡Traidores recuerdos de paz, de amor, de maternal ventura que asediaban también a tu doble o doblado en vísperas de la emigración de su alma! ¿No has expiado todo ello en un cafetín de la Alcazaba por el precio irrisorio de una dedada de maaxún? Sin embargo, reaparecen y se afanan, como la imagen latente de una placa o película durante el revelado, borrosos e informes primero, discernibles y nítidos después, entre la masa amorfa de espectros, tras un largo camino de puentes resbaladizos, arduos e ingentes obstáculos, empinadísimas rampas, contorneando las bermejas e incandescentes mansiones de prueba y expiación: ella, en plena juventud, fotografiada de perfil con amor o en medio de una cancha de tenis con una raqueta en la mano; él, tal como le rememoras en los últimos tiempos, envejecido y anulado por su viudez, enfermedad, gravitación de sus empresas científicas dolorosamente abortadas. ¿No han sufrido angustias sin nombre y ansiedad indecible al salir de su puerto seguro y asomarse aun brevemente al mar del mundo, en respuesta a tu llamada? ¿Hay un reproche mudo en sus ojos o un agradecimiento tácito a tus anhelos de un ya imposible diálogo mientras se desvanecen en la neblina y retornan a sus lechos paralelos del remoto panteón familiar? La abuela dulcemente extraviada (¿ha perdido el juicio en virtud de una teofanía, como sostenía Ibn Árabi, y es una criatura razonable, pero sin razón?) y su esposo (enfrascado para siempre en la lectura de un diario con fecha del cerco de Stalingrado), aunque yacentes en otro camposanto, se integran también en el cortejo sin echarte en cara que hayas hurgado sus huesos y expuesto a las miradas lo que debía permanecer secreto hasta la Misericordia final. Sus siluetas se transparentan en la nocturna diafanidad del macabro, los cenotafios ornados de aleyas y testigos rematados en turbantes de piedra, cúpulas estriadas, santuarios derviches, palomares de tórtolas blancas, el mausoleo del Sultán de los Enamorados con un almocrí que recita los versículos sagrados del Libro. Planeas de nuevo en el cielo sereno, mecido por un viento que parece avivar el fulgor de brasa de las estrellas, sobre un territorio de casuchas y pabellones habitados, callejuelas desiertas, sombras noctívagas, respiración densa y pálpito de vida de un millón de moradores agazapados, diablillos traviesos y sueltos, tumbas de jeques, casitas recién pintadas de peregrinos a La Meca, alminares erguidos como centinelas del sueño de la comunidad.

(Ella se ha alejado de ti y, sin su preciosa guía, te sientes de pronto seca y desamparada.)

Unos nubios con galabías blancas y fajas de lana enroscadas con arte en torno a sus cabezas preparan con sigilo y diligencia el entoldado callejero en el que los familiares de un difunto despedirán horas más tarde los cuarenta días de duelo, entre blandos suspiros y espaciados sorbos de té.

Contrariamente a la leyenda no eran negros de aspecto repulsivo y siniestro, figura deforme y voz retumbante como el trueno, ni sus ojos brillaban en la tiniebla del hipogeo como un relámpago ofuscador.

¡El martillo! ¿No cargaban con un mazo tan pesado que ni el esfuerzo conjunto de todos los humanos podría siquiera alzar?

Si lo había, ¡no lo divisó por ningún lado!

¿No sufrió su golpeteo terrible en el cráneo por siete veces consecutivas cuando la respuesta no les satisfacía?

¡Todo sucedió de forma tan distinta a como se lo habían pintado!

¿Acaso no la acuciaban a preguntas hasta enmudecerla, presa de culpa y terror?

No, aquello no se parecía ni de lejos a las cárceles de la Inquisición. No había métodos de tortura como los de los cordeles, agua, electricidad, bañera ni picana, sólo un espacio que, de opresivo y angosto, se había transmutado en impreciso e inmenso y en el que sus palabras vibraban como un silbo muy delicado e imposible de localizar.

¿Los veía?

Los vislumbraba más bien en medio de la niebla y, después de cada anagnórisis, se sentía resplandeciente y serena, curada de su desmayo, zozobra e inseguridad.

¡Sus voces!

La de Naquir resonaba grave y diáfana, sin una sombra de confusión, a pesar de la calidad más bien defectuosa de la megafonía. La de Muncar descubría un tono juguetón, como alimentado de una soterrada ironía o el conocimiento cabal de las flaquezas humanas. No habían venido allí a leerle la cartilla ni a someterla a prueba. Estaban al corriente de sus dichos y hechos, se sabían de be a ba sus obras. ¡Hasta se habían tomado la molestia de leer rimeros y rimeros de comentarios y las tesis doctorales, sutiles o crasas, de los especialistas! Sin descuidar los deletéreos panfletos de sus enemigos. ¡Qué acumulación de improperios!, reía Muncar. Después de eso, ¿cómo acusarle todavía de proposiciones erróneas, heréticas, nefandas, escandalosas y malsonantes? En medio de la chatura de unos tiempos míseros y uniformes, tan faltos de enjundia como llenos de paja, su vida hecha texto tenía al menos el mérito de la pasión contaminadora, el poder revulsivo de la imaginación y el dislate.

¿Esto fue todo?

¡Qué más podría decir ahora si al escuchar sus palabras sentía que uno de ellos, tal vez ambos, le prendían un fuego muy suave con una candela, un fuego que la colmaba de gozo y flameaba por todas partes, convirtiendo en dulzura el retraimiento y silencio posteriores al tránsito!

Y, ¿después?

Se despertó: miraba una enorme pantalla vacía, como si el proyeccionista hubiera interrumpido la película por su cuenta u obedeciendo a una orden superior. Luego se le había aparecido Ibn Árabi, a quien reconoció en seguida por la belleza singular que destellaba, con su manuscrito de la «Epístola sobre el árbol humano y los cuatro pájaros». La invitaba a seguirle, viéndola nuda y dispuesta, leve y reconfortada. Se adormeció de nuevo y le oyó murmurar entre sueños: bebí la herencia de la perfección láctea.

(Abarcaba la Plaza, el espacio concreto y seminal de la Plaza, absorto en el bullicio y ociosidad del gentío, las nubecillas tenues de los grupos que se formaban y diluían en su perímetro como cúmulos vagarosos, deshilachados. ¿Durante cuántos días, meses o años había permanecido ensimismado en el miradero, respondiendo distraidamente a las preguntas de los amigos, desde la quietud y arrobo de su silencio interno?)

¡Eso, de modo que era eso!, dijo ella al desdoblarse del cuerpo inmovilizado en el tramo de la escalera, gratamente sorprendida por el cese del breve, pero lancinante dolor en el costado izquierdo, el pronosticado infarto que había acabado con su hermano y era el castigo insoslayable de toda su familia, despegada ya de ella misma, de la imagen juvenil vestida con prendas deportivas, con una mano asida a la barandilla como si hubiera buscado apoyo para no caer en el momento del tránsito, adaptada de inmediato a su sutileza, dueña invisible por unas horas del conjunto de libros, muebles, recuerdos, fotografías que cifraba su vida, todos los autores de sus cursos hispánicos en cuya relectura se había enfrascado a fin de traducirle, la máquina de escribir con una página inconclusa de su estudio sobre Sor Juana.

La desaparición de su hermano me había dejado desamparada, no podía habituarme a ella y me reprochaba duramente a mí misma el no haber sido capaz de preverla, no haber captado el presagio de un lapsus linguae ni los indicios minúsculos de su evidencia hasta aquella separación irremediable y brusca que me sumió en un pozo de negrura, interiormente devastada por mi ignorancia absoluta de esta ligereza, sin vislumbre ni atisbo de nuestra trascendencia, pasadas la apretura y congoja de la noche de la soledad.

¡En ninguna de mis fases de quiebra y desvío, ruptura pasajera con el mundo, fuga de toda disipación del espíritu entre los muros de un hospital siquiátrico me había sentido así: desnuda, negada y aniquilada, sin arrimo alguno después de mis malogros amorosos fuera de esa pequeña luz que hallaba a veces en tus ojos y la premura imperiosa de beber, alcanzar la iluminación que procura la embriaguez, llegar a tu estudio levemente achispada! No sabía entonces que el alumbramiento del vino anunciaba mi búsqueda a ciegas de una forma más pura de ebriedad. Lo descubrí, gracias a ti, con los sufís y su universo espiritual. No podía dejar de fumar, llenar de colillas el pequeño almirez y apestar tu habitación, a sabiendas de que me servías de beber con tristeza, temeroso con razón del naufragio de mi inteligencia, de mi total desapego a la vida y sus formas de sociabilidad. ¡Ignoraba que él, mi hermano, me había precedido sencillamente en la ligereza! Me ahogaba en el dolor, sentía el vértigo del abismo. No puedo seguir mi trabajo contigo, te dije. ¡Busca a otra persona más idónea y equilibrada! Aquella noche, cuando sentí tu ayuda, soñé en que me prendías con una candela, por todas partes, un fuego suave y yo lo recibía con gozo, como un manjar dulce y fuerte.

En el diálogo que sosteníamos, me resultaba difícil discernir al autor de las preguntas del de las respuestas. ¿Quién es dice, quién es digo? ¿Quién habla en masculino y quién en femenino? La distinción de sexos, ¿no se anula en el ámbito de la sutileza? ¿Qué hacer con las leyes de la gramática? ¿Por qué referirnos a Él y no a Ella?

Reía, reía de nuevo mientras jugaba con la cadena de oro que figura en su fotografía, abarcando contigo, desde el descubridero de las nubes, a la miríada de sombras que aguardaban también el fin de la cuarentena, serenamente confiadas en el perdón y esperanza.

¿Ves bien?, dice ella. Si la visión es confusa o emborronada, puedes ajustarla a distancia con el programador.

En la negrura tumbal en la que, tras subir por los escalones de la desnudez al ámbito de una paz venturosa, levitas fuera del espacio y del tiempo, sin percatarte de lo que haces, si estás recogido o no, si obras o no obras, sin cuidar ni atender, conforme a la «Guía», a cosa de sensibilidad, recibes pasivamente la sucesión de imágenes crueles de la pantalla en el reposo y vacío de tu silencio.

Contemplas por turno
    a hombres y mujeres con las comisuras de los labios desgarrados, ojos y oídos asaetados por flechas agudas, colgados de sus corvas cabeza abajo y mordidos por víboras,
    a un sayón que alza entre sus manos una enorme roca con la que tritura el cráneo de un mísero y, sin concederle un momento de descanso, vuelve a la carga contra la cabeza milagrosamente restaurada, repitiendo de continuo su atroz y riguroso suplicio,
    las ondas de un río de sangre hirviente en las que un réprobo se esfuerza en ganar la orilla en donde su verdugo le aguarda con guijas cremantes como brasas, se las encaja con saña en la boca anhelante y le obliga a volver a nado a la vaguada a fin de reiniciar el tormento,
    un horno tubular, en cuya flama hombres y mujeres desnudos

suben y bajan cual virutas incendiadas, impelidos hasta la boca superior como por el soplo de un fuelle y precipitados a la base, alternativamente, en medio de clamores y gritos de espanto,

a criaturas tumefactas, convulsas, que vomitan sin tregua por sus ojos, bocas, narices y orejas las sinuosas lenguas de fuego que les penetran por el oficio del recto,

un inmenso océano ardiente, subdividido en setenta mares menores, en cada una de cuyas playas se eleva una ciudad incandescente y cárdena compuesta de setenta mil moradas que almacenan a su vez setenta mil ataúdes en llamas en los que se remueven mujeres y hombres implorantes picados de sierpes y alacranes.

¿Son fotografías de cuadros del Bosco o reproducciones en color de los grabados de Doré que examinabas sobrecogido en tu infancia? ¿No se había inspirado acaso el florentino en las visiones audazmente interiorizadas del «Libro de la escala» para componer su «Comedia»?

Si el tema te abruma o azora, dice ella, puedes cambiar de canal.

Pero el programa recomienza, no sabes si aposta o por error técnico, una vez concluida la cinta y de nuevo aparecen en la pantalla, en el parpadeo luminoso de la penumbra, planos de réprobos de labios desgarrados y órbitas oculares atravesadas por flechas, colgados de las corvas y mordidos por víboras.

Oh, comme ils sont emmerdants!, dice la Dama de la Sombrilla. Ils ne peuvent pas s'offrir comme tout le monde une antenne parabolique?

Ella parece haberse eclipsado, sin intentar prender su inexistente cigarrillo ni animarte siquiera con el remanso de la luz de sus ojos claros.

¿Se disponen quizá tus escrutadores a someterte a un recio y perentorio examen?

Sensaciones de opacidad y diafanidad, crasitud y sutileza preceden la irrupción de nuevas vistas de guardianes severos, miradas que despiden llamas, ciudades por un fuego interior consumidas, mansiones de purga y dolor diseñadas con prurito delirante de simetría:

un abismo en forma de embudo o tronco de cono invertido desciende hasta el centro de la Tierra mediante nueve gradas o pisos circulares, castigo y cárcel de su correspondiente categoría de almas protervas, arpones ígneos racimos de víctimas, culebras que se cuelan por la boca y salen por el ano tras desgarrar los intestinos, criaturas sin ojos en ríos de azufre, hombres con el vientre lleno de reptiles, mujeres colgadas de sus cabellos o pendientes de sus senos con garfios al rojo vivo, bestias monstruosas de cabeza perruna y cuerpo de cerdo, atormentados de sed obligados a beber copas de metal líquido, lenguas cortadas con tijeras candentes, alanceados y azotados con instrumentos de fuego, almas estrujadas y deshechas por un ángel rebelde que brama de dolor en el lecho de su parrilla.

De pronto, comentadas en inglés, imágenes de una muchacha rubia de deslumbrante sonrisa, pechos convocatorios y piel nacarada, que aclara su abundosa cabellera bajo la ducha, colmada de beatitud narcisista, casi orgasmática por las virtudes embellecedoras de una popular marca de champú.

¿Han interrumpido el programa del circuito televisivo con una cuña publicitaria?

Mientras te preguntas, perplejo, si las multinacionales actúan también en tu nuevo ámbito, te parece escuchar en la negrura la risa burlona de Muncar.

Estaba en su centro, morada y delicias, en las entrañas de un mundo palpitante de vida, solicitado a un tiempo por voces, olores, gestos, contactos, sabor de broquetas y cuencos de harira, consciente de la unicidad y diversidad de cada una de sus partículas, de su igualdad radical con la masa proteica de cuerpos objeto de su imantación, misericordia o deseo, comunidad de destino asumida en la desnudez del nacimiento y tránsito, racimos humanos de inasible belleza y fulgor súbitamente extinto.

¿Eran su vejez o cansancio los que le habían apartado poco a poco del territorio aguijador de la halca? ¿La sensación melancólica de haber agotado en lo escrito su lozanía original y diáfana? Lo cierto es que un día abandonó el pastoreo de los corros, su instintivo y feraz nomadismo para apostarse en la esquina de un café y observar desde allí el espectáculo. ¿Necesidad de imponer una distancia entre sí y los demás o imponerse una distancia con respecto a sí mismo? ¿Certeza brusca de su precariedad, de la inexorable consunción de cuanto, próximo aún, pero ya inalcanzable, nostálgicamente percibía? Simple mirón en cualquier caso del fugaz torbellino de viandantes que discurría entre los tenderetes, sombrajos, cocinas portátiles, alfombrillas de plástico con toda la gama de su proliferante, heteróclita mercancía. El ámbito cuya llama le había ilustrado en tiempos de plenitud y dicha, ¿estaba condenado también a desaparecer? El fecundo teatro de luces y sombras, comedias y dramas cotidianos que alimentaba su vida y voracidad creadora, ¿sería despiadadamente barrido?

Y dio un paso más: se recogió a su casa adyacente a la Plaza y, acomodado en el descubridero de la azotea, se contentaba con atesorar, con mirada avara, estampas del gentío, vida todavía y no aniquilación, ifná o fana, apuntando con los prismáticos al cráneo robusto y perfectamente rasurado de Saruh, al anillo que circuía a Cherkaui y sus palomas amaestradas, sombras y más sombras de nubecillas erráticas, impelidas y dispersas por una leve brisa en torno al fantasma de los últimos juglares, niños saltimbanquis, médicos dotados de ciencia infusa, recitadores de ensalmos, adivinos, cuentistas, encantadores de sierpes, risueños bailarines gnauas. Un hilo muy tenue le unía todavía a aquel universo de espectros directamente amenazado por un rodillo compresor cuyo retumbo cubría de modo paulatino la mareta de voces e incluso la llamada a la oración de los almuédanos desde los alminares de las mezquitas contiguas a la Plaza.

Fue entonces, la tarde de un 17 de enero, cuando, frioleramente arropado contra el cierzo de las tersas cordilleras nevadas, divisó en su perímetro vacuo, desierto, la llegada de las primeras carretas de cadáveres. Venían sin bestias ni arrieros desde Bab Fateh y Semmarín, Riad Ez-zitún y Mohamed el Jamis con simultaneidad minuciosamente sincronizada, como movidas por control remoto o impulsadas por fuerza sobrenatural. Empezó a contarlas, primero por unidades, luego por decenas mientras convergían al centro y vaciaban sus cargas, pilas ingentes de cuerpos dislocados o yertos, de boca entreabierta como para emitir un último grito y ojos desorbitados por el espanto. Ningún alma piadosa se había encargado de lavarlos y envolverlos en sudarios, cerrar sus párpados, obturar los oídos y fosas nasales con algodón, sujetar los pies y mandíbulas con un cordel, cruzar decorosamente sus manos sobre el pecho ni inclinarlos a la derecha conforme a los preceptos sagrados. Poco a poco, el espacio de la halca y regateo de feriantes se había convertido, como en la leyenda bautismal del lugar, en una asamblea de cadáveres cuyo número aumentaba con la regularidad puntual y mecánica del trabajo en cadena de una gran fábrica. ¿Era una violenta evocación de «Noche y niebla» grabada para siempre en su memoria, en todo su horror desnudo? Los prismáticos enmarcaban brevemente una cruda sucesión de imágenes de cuerpos maniatados, balazos en la nuca, pechos acribillados de metralla, bayonetazos asestados de espalda, semblantes inmovilizados por gases tóxicos o bombas de descompresión en muecas de dolor indecible. Sólo entonces había advertido las primeras ondas aún sosegadas de la inundación.

Una marea de sangre, como desbordada de un gran estanque o presa, avanzaba con lentitud desde las calles cercanas al Banco del Magreb y edificio de correos, se extendía y enrojecía mansamente el suelo entre las pirámides humanas apiladas por la afluencia continua de las carretas. *¿Quién lograría, aun con palabras sueltas / hablar de tanta sangre y tanta herida / aunque diese al discurso muchas vueltas?*, recordó. ¡El flujo subía visiblemente de nivel, cubría el aparcamiento de coches y terraza del Glacier, alcanzaba de continuo cotas más altas! ¿De qué inmenso caudal de venas y arterias procedía? De los desheredados de Ben Suda?, manifestantes ametrallados en las calles de Orán?, humillados y ofendidos de los barrios populares cairotas?, martirizados de Sabra y Chatila?, madres sorprendidas de compras en los feroces bombardeos de Beirut?, adolescentes lanzapiedras de Kafr Malik?, aldeanos exterminados de Halabxa, niños apriscados en el infierno de El Chatti? ¿O eran simplemente los lechos del Tigris y Éufrates los que se vertían con ímpetu en la medina de los Siete Hombres Santos y anegaban jardines, mercados, avenidas y calles? Miró a la Kutubia y descubrió que en el asta de la bandera izada durante la plegaria ondeaba una camisa chamuscada y embebida de sangre. ¿Qué ángel colérico o mensajero de muerte podía haberla plantado allí? Apostado en su atalaya frágil, percibía sin necesidad de los gemelos el auge amenazador de la crecida mientras inundaba los bazares fronteros y arramblaba con sus enseres y mercancías. ¿Sumergía ya los bajos del Hôtel de France, doblaba irrefrenable la esquina en dirección a Riad Ez-zitún? Escuchó el rumor de la inundación encauzado por la angostura del pasaje y la vio teñir de rojo la entrada del cine Edén, atropellarse como una mugiente boyada por el laberinto de callejas que conducía a su casa. Su fragor, similar al de las aguas desbocadas en las compuertas de una presa, ascendía conminatorio y brutal por entre los muros de las viviendas. ¿Se había vaciado repentinamente la ciudad de todos sus habitantes? ¿Nadie, fuera de él, se percataba de aquella riada sangrienta? Aparejó el oído a la espera de gritos y llanto, aguardó en vano alguna lábil señal de vida. ¡El grueso de la avenida había irrumpido en el zaguán, se volcaba en el patio, cubría los tiestos de flores y la fuentecilla! ¿Ningún morador de la casa reparaba en lo sucedido? ¡Rápido, pronto, coged bayetas y cubos, formad un dique de contención, impedid que esa sangre suba las escaleras! ¿No veis que va a entrar en la biblioteca y empapar los libros? ¡Salvad al menos los borradores y notas de este texto, los místicos musulmanes, cristianos y hebreos, los volúmenes de Dante e Ibn Árabi, la «Guía espiritual», el «Libro de la escala»! ¡No permitáis que cubra y borre la expresión de la inteligencia y corazón humanos, que las palabras sustanciales sean abolidas! ¿Hablaba a solas? ¿Alguna ánima medrosa le escuchaba? Pero todo era rojo ya y del cielo bermejo y su hostil coalición de nubes cárdenas llovía asimismo un denso turbión de sangre cuyas gotas reventaban como frutas maduras sobre los signos precarios trazados por él mismo, las páginas manuscritas dispersas de su obra inconclusa y para siempre - anegada. Sólo tuvo tiempo de abrir el ejemplar de un poemario que tenía a mano y leer *pisa la tierra con suavidad, pronto será tu tumba,* antes de sumirse en la vorágine del remolino hacia la plétora, los muertos y el ángel exterminador de la Plaza.

9

¿Fue la premonición de su caducidad la que le precipitó a repasar con el apremio y congoja de un arruinado coleccionista las estampas de los lugares más bellos que conocía antes de que desaparecieran para siempre de su vista por obra de su Acreedor? ¿O la disgregación de los años, cifrada en sus movimientos inhábiles y tanteos de ciego cuando, al sintonizar los programas de noticias, veía surgir en su memoria las viejas ciudades que amaba convertidas en inmensos montones de chatarra y cráteres negros, según ladraban jubilosamente los sabuesos de la información? ¡La capital de Harún al Rachid iluminada por el fulgor de los bombardeos como un cariñoso y familiar árbol navideño! ¡Enemigos sorprendidos como cucarachas al encender la luz de una habitación y aplastados en su diáspora enloquecida por la furia justiciera del exterminador!

Decidió huir de aquella atmósfera insoportable, del mudo reproche de tantos rostros graves, de una culpabilidad que rechazaba y no obstante le corroía. Cogió su retaco de automóvil y aceleró cuanto pudo en dirección a las montañas nevadas por una carretera de revueltas en medio de chumberas y almendros floridos. Los escasos transeúntes, aldeanos acuclillados, niños pastores ateridos como espantapájaros, ¿serían los guijarros sembrados en su trayecto por su desvencijado y asmático coche amarillo? ¿Qué podían pensar de él sino que acudía a su cita puntual en Samarra?

Llegó a la pequeña medina de murallas ocrerrosadas y estacionó en el aparcamiento vacío. El apuesto jayán de chaquetilla y zaragüelles rojos que acogía de ordinario a los turistas a su descenso del pullman no ocupaba su puesto en el portal abierto entre los contrafuertes del muro, los carritos de los almahales dormían arrinconados en el umbrío trayecto al vestíbulo, las antes animadas tiendas de recuerdos exhibían sus objetos de artesanía y tarjetas postales achacosos e inútiles. Llenó el impreso que le tendía el recepcionista y se internó en los jardines desiertos por los pasillos de azulejos que atravesaban los plantíos cuajados de bambús, bananos y arbustos exóticos, la recoleta sucesión de patios ornados de fuentecillas. Asambleas acuáticas de tortugas, centenares de habitaciones desocupadas, criados ociosos con furtivos movimientos de espectros, ¡el ámbito entero le pertenecía! Una banda de gatos hambrientos, de ojos luciferinos y estrábicos, le escoltó a la puerta de su refugio.

Luego, minutos, horas más tarde, acomodado en una tumbona en la inusitada soledad del estanque, había vivido con intensidad inigualable la carrera exacerbada del tiempo, su frenesí devorador de cosas y criaturas: un viento crepuscular, vivo, tenaz, cimbraba el tronco espigado de los carandayes, sacudía y despeinaba sus altivos penachos, tramaba y deshacía siniestras confabulaciones de nubes. Hojas y cortezas de magnolio caían sobre la lumbre agitada del agua, las vacuas y absurdas poltronas, el necio decorado de un mundo súbitamente abolido. La aparición de un pavo real, de ostentosa cola iracunda, le llenó de terror. El vuelo emprendido hacia Simorg, ¿se había transmutado en pesadilla?

Y huyó, huyó otra vez, por vastos y abruptos espacios montañosos, en busca de nuevos escondrijos, asilos más recónditos, cierto de que era nada, podía nada y valía nada, acosado de imágenes sombrías y efímeras: las vistas de aldeas apiñadas en torno a sus mezquitas, alquerías como nidos de águila, rebaños de ovejas diminutos se entremezclaban con visiones de invierno nuclear, lluvia ácida, bosques carbonizados, paisajes destruidos.

Detuvo el automóvil en una encrucijada y descifró la desdibujada inscripción del cartel:

CAMINO SIN SALIDA.

¿Podía dar marcha atrás?

¡El trazado de la carretera se había borrado a su espalda! ¡El coche, recién desguazado, ardía como alcanzado por un cohete enemigo!

En aquella geografía de la desolación, divisó un árbol gigantesco, cuya sombra parecía recompensa y gloria en medio de las caliginosas sendas y abrasados parajes.

¿Era el Loto del Término?

Ella le aguardaba a sus pies y discutía animadamente con la Dama de la Sombrilla.

Había atravesado las tenaces sequedades, aguantado las porfiadas desolaciones, sufrido los espirituales martirios e interiores tormentos indicados por el místico y, concluidas las pruebas, había renacido en su esbeltez, delicadeza y frescura, levitando en el espacio impreciso en el que te hallas con graciosa y onírica ingravidez.

Como no puedo ser tu Beatriz, dice con vuestra festiva complicidad de antes, si quieres visitar la gehena será mejor que recurras a los servicios de alguna agencia. ¡Allí te mostrarán sus folletos ilustrados con los programas de excursiones y pondrán a tu disposición una azafata políglota!

Ella ríe otra vez, como en los viejos tiempos, cuando te esperaba a la salida del aula y os íbais a prolongar la discusión sobre el Arcipreste y «La Celestina» en los bancos públicos de Washington Square o una cafetería cercana al Departamento. Fumaba, como siempre, sus Gauloises Bleues.

En esa comezón del poeta por identificar a sus conocidos y adversarios en los círculos infernales de los precitos, ¿no había un morbo infantil y regodeo malsano? ¡Toma el ejemplo de Filippo Argenti en el Canto VIII! La descripción del tormento no puede ser más horrenda y nuestro buen hombre, en vez de compadecerse del desdichado, ¡se recrea en su contemplación!

Os escurrís los dos velozmente como en una pista de nieve y ella saca del bolso su ejemplar anotado de la «Comedia». ¡Qué lástima que no hubiera incluido en sus cursos un estudio comparativo de ella y el «Miarage» de Ibn Árabi, profundizando en el campo abierto por Asín! La concepción de la misericordia divina del Sello de los Santos no se conjugaba en absoluto con la del bardo ni incurría en su dureza e insensibilidad. ¿Imaginas a Ibn Árabi escribiendo estos versos: *«Maestro»*, dije, *«con ardor deseo / antes de que dejemos ese lago / ver cómo en esos bodrios se hunde el reo»?* ¡Ya sé que no se puede juzgar una obra de la envergadura y la belleza de la «Comedia» a partir de semejantes detalles, pero a su autor sí!

Estáis en lo que aparenta ser una agencia de viajes adornada de llamativos carteles con reproducciones del Bosco y aguafuertes de Gustavo Doré. Sobre el mostrador, divisas la lista de precios correspondientes a las distintas excursiones individuales y sightseeing tours. Ah, pour ça je peux vous offrir un prix tout à fait exceptionnel, dice la Dama de la Sombrilla, atareada con sus teléfonos. Elle est justement en promotion! Cuando cuelga el receptor, responde todavía a varias llamadas simultáneas: Sì, per domani... Please, wait a moment!... D'accord, je vous réserve les places dans un instant... Al cabo de unos breves diálogos entrecortados de suspiros y lamentos, Oh, je n'en peux plus!, recoge los mensajes recibidos por fax y examina brevemente la pantalla del ordenador.

Excusez-moi, dice encarándose al fin contigo. Je suis toute à vous!

Te vuelves a ella en demanda de ayuda, pero descubres que estás solo: ha desaparecido.

La Dama maquillada como una máscara, con cejas y pestañas estilizadas, rímel, colorete, polvos de arroz y labios en forma de corazón agresivamente escarlatas parece darse cuenta de tu desconcierto y despliega coquetamente su abanico con aires de seducción.

Ne vous inquietez pas! Une visite priveé avec guide un vous éclairera davantage!

Sueñas en que estás en un inmenso Museo de Figuras de Cera como los que antaño visitaste en París y Los Ángeles. Avanzas por un pasillo lujosamente alfombrado en cuyos laterales se suceden cuadros escénicos de «El jardín de las delicias» y representaciones del averno del ilustrador de la «Comedia». La azafata que guía tus pasos carece de rostro preciso y te trata, según observas, con cierta condescendencia. Como su erudición te empalaga, examinas para distraerte las figuras inmóviles de los retablos, intentando descubrir entre ellas caras conocidas. Uno de los cuerpos empalados se contorsiona aún y parece soportar estoicamente el dolor con crispada sonrisa. Las explicaciones emitidas por megafonía son paulatinamente orquestadas por un rumor de fraguas, ráfagas de viento, bramidos de ira.

Estos personajes noblemente vestidos, con aureolas de virtud o santidad, son los de Ibn Taymiya, Torquemada y Menéndez Pelayo: No sufren suplicio alguno: de azufre hirviente, devoración perpetua ni arpones ígneos. Su tormento es más agudo y fino. Contemplan en los círculos de la gloria a quienes, por estrechez de miras, condenaron por herejes, zendiques, cafires y otros desvíos nefandos: al gran Ibn Árabi, el Maestro Mayor y Sello de los Santos; a Al Hallaxx, Al Bisthami y Suhravardi; a los shadilíes, alumbrados y dejados; al sublime Miguel de Molinos; a don José María Blanco. ¡Qué tremenda lección la suya! ¡Concebían su paraíso o xanna como el club exclusivo de una pequeña taifa e ignoraban la Rahma, la inconmensurable misericordia del Único!

(¿Quién habla? ¿La azafata uniformada o es la voz de ella, envuelta, por una razón oculta, en el anonimato y cautela de la penumbra?

Las figuras que divisas en los laterales, ¿forman parte también del mundo intermedio en el que los espíritus reciben un cuerpo sutil, como el que vemos en sueños?)

Algunos personajes, vagamente familiares, pican tu curiosidad. Distanciándote de los demás, examinas, sin identificarla con certeza, a una mujer que ríe a solas, como celebrando el triunfo de una conjura o maquinación secreta. A su izquierda, un popular publicista, émulo de Midas, transforma cuanto toca en obra filosófica. Otras figurillas inconsistentes se agitan en los despachos de una casa oscura, disfrazados de lobos de mar.

Vamos, dice ella con amistosa zumba. ¡No me digas ahora que eres tan mezquino y maniático como el propio Dante! ¿Qué diablos te importa ahora que la obesa y alcohólica walkiria lituana se vea en el brete de redactar a perpetuidad sus apócrifas notas de lectura en las ergástulas de su desvanecido imperio? ¿No has fabricado tú algún seudo documento a lo largo de tu vida?

(Los personajes que contemplas, adviertes perplejo, pertenecen al mundo visible y su presencia en el Museo es absurda o meramente alegórica. ¿Quién les ha incluido entre las sombras?: ¿tu imaginación vengativa o una travesura de Muncar?)

¡Ese es un lenguaraz experto en nada!, corta la azafata, tras apuntar con el dedo al publicista. ¡Sabe que no pasará a la historia de las ideas ni a la de la novela ni a la del teatro ni a la del ensayo, aunque haya derramado desastrosamente su facundia en todos esos campos! Se le podría aplicar con justicia el dicho de «zapatero, a tus zapatos» pero, como ignora incluso tan digno oficio, digámosle, por cortesía, «caballero, ¡a tus caballos!»

(La Seminarista cubierta de bubas y el pico candado con una especie de estuche o mordaza que se cuece en la fetidez de su propia baba, ¿no es una criatura de tus libros?

¿Por qué insiste la mujer en mostrarte su masa hedionda y achicharrada?)

Quieres huir del Museo, librarte del peso de aquella visita guiada, pero ella implora que no despiertes a la azafata con movimientos ni ademanes imprudentes.

Ten paciencia, dice, ¿no ves que somos soñados?

En vano buscaréis en aquel ámbito de alfombrados pasillos y cuadros escénicos el letrero indicador del EXIT, AUSGANG, SORTIE, USCITA.

Negro, macizo, compacto, os arropa el silencio del hipogeo, al descenso a la soledad de las sombras, en el perímetro de la Ciudad de los Muertos.

¿Es el presentimiento teofánico, una mera intuición promisoria, una ansia de purificación ritual, el recuerdo y fulgor de pasados encuentros? No lo sabes de cierto, probablemente una mezcla de todo ello, la que te lleva a encaminar los pasos a la calleja iluminada por un rayo deferente de sol, hacia la alhama contigua a la mezquita del barrio. Son las horas cruciales de la guerra, sin esperanzas de acuerdo ni tregua, cuando millares de cuerpos calcinados por el diluvio de fuego, yacen bajo nubes macizas y negras, en una noche artificial y sulfúrea, saturada de vahos espesos. ¿Necesitas limpiarte de tu náusea moral? ¿Despojarte por un lapso de tu cansina identidad? ¿Sumergirte en el reino de lo impreciso y opaco? Te bastará cruzar el umbral que divide luz y tiniebla, desvestirte en un modesto banquillo de madera, confiar tus prendas al silente guardián de las ánimas purgativas a cuyos pies, acuclillado junto al mostrador, un joven de rostro enjuto fuma una pipa de kif, envuelto en su chilaba raída y tocado con un gorro de duende.

¿Estás en la gehena subterránea, la rezumante morada de las sombras o ese barzaj o mundo intermediario en el que los espíritus reciben un cuerpo sutil según palabras del Sello de los Santos? La bruma desdibuja contornos, esfumina planos, confiere un aura de acechante peligro al recorrido de suelos resbaladizos, entre espectros que circulan con cautela y siluetas exangües, de miembros y extremidades confusos. ¿Convergerás con ellos, con un cubo, al pilón de la fuente, sito en el finisterre? Inadaptado aún a la niebla, clareada apenas por la anorexia y mezquindad de los tragaluces, buscarás a tientas un rincón en el que tenderte, en medio de otros seres consumidos y exhaustos, de inconsistencia onírica. ¿Vienen a lavarse también del horror de la hecatombe, del aire seco y asolador, del huracán oscuro y tempestad ardiente, del ígneo resplandor de los pozos, de los bombardeos de alfombra bajo los que la tierra se estremece y gime? El vapor emborrona sus formas indecisas. Algunos discurren lentamente, encorvados por el peso de sus cargas, a la espera del baño lustral que debe regenerarles. Otros reposan inmóviles, como alineados en un depósito de cadáveres, sumidos en la modorra o el sueño. Entre la masa indistinta e informe, descubrirás, aliviado, la presencia de un joven alto y apuesto, de pecho robusto y macizo, miembros nervudos y esbeltos. Una sonrisa de deslumbrante blancura centellea en su rostro agraciado bajo el fino bigote negro. Su piel parece brillar con discreta fosforescencia y, mientras se mueve con soltura entre las ánimas agotadas y enfermas, observarás que las atraviesa sin dañarlas, como la luz solar los cuerpos translúcidos. El ángel —tu anagnórisis ha sido instantánea— acarrea con prontitud y vigor los cubos, pasa por entre los clientes de la alhama como si fueran sombras endebles y se dirige adonde tú estás, erigiendo con aquéllos una especie de zona acotada, destinada a aislaros de los demás sobre las losas del mármol caldeado y húmedo. ¿No ha vivido Ibn Árabi una aparición similar en sus circunvoluciones a la Kaaba? En sus idas y vueltas al pilón de la fuente, advertirás que cubre púdicamente sus partes con un calzón holgado y permanece invisible al resto de la asamblea. Nadie sino tú disfruta de su vista y, aunque privado momentáneamente del habla, no puedas dirigirle el saludo, adivinas que es el propio Naquir. Cuando la pila de cubos de agua te cela a las miradas ajenas, sentirás que se asienta a tu lado y te invita a volverte de espaldas. De bruces, pegado al suelo recién baldeado, dejarás que te lave y friccione, inerte entre sus manos netas y duras, pasivo como un muerto en trance de purificación. ¿Ha llegado la hora del éxodo del alma y vives, después del tránsito, el momento solemne del lavado ritual? ¿Va a cerrarte los párpados, obturar los oídos y fosas nasales con algodón, sujetarte pies y manos sobre el pecho e inclinarte a la derecha conforme a la alquibla? Naquir frota con creciente energía tu cuerpo, palpa y localiza tendones y músculos, te somete a estaciones o grados de metódica y calculada tortura. Convertido en un mero receptor de sensaciones paulatinamente penosas y crudas, no alcanzarás a emitir una queja cuando, acompañándose de extraños silbos, sones guturales y resoplos salvajes, se asentará con todo su imperio sobre tus cansadas espaldas. Quieto, como amordazado, asistirás al desarrollo inaudito de tu tormento: ¡sus manos brutales se aferran a tus hombros, te fuerzan a doblar piernas y brazos, tensan tu espina dorsal hasta curvarla al ritmo de inhumanos resuellos! Aplastado bajo su peso logras apenas respirar. ¿Qué quiere hacer contigo? ¿Descoyuntarte, paralizarte de angustia y terror, mortificar tus miembros culpables al límite extremo? Aunque mantiene tu rostro pegado al suelo y ciego a toda visión, registrarás la escena impensable como si tu espíritu se hubiera desdoblado y pudiese contemplarse a sí mismo del exterior: ¡como una ave de presa feroz en sus tremores copulativos, el ángel agita convulsamente las alas, hunde las garras en tu espalda y te agujerea el cráneo con el pico! ¿Alucinación tuya, imagen real? El sufrimiento es insoportable y en vano suplicas jalini, bel-lati, sin conseguir otra cosa que arreciar su furia. Estás a la merced de su pulsión destructiva y tu corazón aletea de espanto. ¿Qué crimen o maldición milenarios expías? ¿Es un preludio al interrogatorio del alma y repaso general a tu vida? Aunque grites con todas tus fuerzas, será demasiado tarde: casi al instante, sufrirás el machaqueo inmisericorde de tu caja torácica, la trituración una a una de tus costillas. El resoplido de fuelle del ángel cubre tus ayes y nadie parece percatarse en la alhama de la inexorable demolición. ¡La intensidad de su abrazo fractura tus huesos magros, te disloca como un muñeco de plástico, quiebra tu miserable figura! ¿Se aplicará a desgajar tus extremidades, recreándose en su devoración? Sólo entonces te darás cuenta, con amargura, de la trampa en la que has caído. La belleza del joven, ¿no ha sido el cebo con el que tu examinador te ha atrapado? La misteriosa luz que le ceñía ¿era el signo genuino de una teofanía o el velo que encubría su propósito tentador? ¿Cómo explicar si no la acuciante presión posterior, su jadeo animal de entrecortada delicia?

Cuando despiertes, hallarás tu cuerpo rehecho pero embebido totalmente de sudor.

13

¿Por qué Dante?

Aun reconociendo su papel primordial en la fundación de su lengua y la fuerza impregnadora de sus versos, su concepción geométrica y fría del Más Allá, ¿no chocaba de frente con los principios y sentimientos de nuestra época? La implacable ferocidad de sus descripciones, que la expresión ocasional de su lástima no conseguía paliar, ¿se compaginaba acaso con los ideales de tolerancia y caridad que hoy nos esclarecen?

Estaba sentada frente a él, al otro lado de la mesa baja y rectangular atestada de libros y suplía como de costumbre la falta de un cenicero con el pequeño almirez de bronce en el que él solía poner sus bolígrafos, gomas, sacapuntas y grapas. Fumaba, fumaba de verdad sus Gauloises Bleues y, con delicadeza, había entreabierto ella misma la falleba para que se aireara la pieza. Ladeando ligeramente la cabeza, podía ver otra vez la perspectiva de tejados abuhardillados, chimeneas y antenas de televisión, la cúpula verdebiliosa de la Ópera, las siluetas lejanas, contrastadas de la Défense. ¿O era un simple telón, pintado con esmero hasta en sus menores detalles, destinado a crearles la ilusión de que todo sucedía como antes?

¡Fíjate en el color de las nubes!, dijo ella leyéndole el pensamiento. ¿Verdad que parecen irreales?

Pero el vago neblumo de la ciudad, ajetreo de los turcos tras las ventanas de sus talleres de confección, zureo de las palomas en el tejado de pizarra grisácea, ¿cómo podían explicarse? Ella había venido a devolverle sus notas sobre Dante y permanecía absorta en la contemplación de aquel cuadro urbano, como tratando de establecer una mera composición de lugar, quizá de confirmar la certeza de estar de vuelta. Las preguntas se atropellaban en su fuero interno viéndola medrada, despegada y perfecta, indemne de su tránsito en la escalera, anclada al fin de acuerdo a la «Guía» en su propio grado de conocimiento.

Sí, ¿por qué? Su adopción de la escatología de las primeras y más toscas versiones del «Libro de la escala», ¿suponía algún progreso en el camino milenario del hombre hacia la paz y el concierto? ¿Por qué ese énfasis en la ira y castigo en lugar del perdón y clemencia? ¿No era mejor arrimarse a los sufís y arrinconar de una vez las imprecaciones coléricas?

Se había incorporado para coger las llaves e ir a prepararle una taza de café, pero desechó inmediatamente la idea. ¿Cómo podía cruzar el pasillo y explicar a su mujer su regreso de las sombras sin sobrecogerla de pavor y emoción? ¿No había sufrido ya bastante de su amor corto y a gotas para imponerle la prueba de un encuentro intempestivo después de la irrevocable ausencia? La imposibilidad de traspasar el umbral de la puerta le paralizó. El espacio precario en el que se movía se reducía manifiestamente a los límites de su habitación anterior.

14

Cada individuo conoce su propio grado con conocimiento necesario: hacia él corre y sólo en él descansa, como el niño corre al pecho materno y el hierro al imán. Aunque pretendiera alcanzar otro distinto, no podría: aunque quisiese desearlo, no conseguiría tal deseo. Antes al contrario: cada elegido ve en la consecución del que ocupa el logro y recompensa de sus esperanzas y anhelos.

Abandonando la lectura de Ibn Árabi, contemplan en la pantalla una breve panorámica de los siete cielos, las siete tierras, los siete pisos del infierno, los círculos del paraíso, los varios velos, luces, mares y montañas seguida de imágenes comentadas por una voz en off:

Este es el jardín, plantado de árboles corpulentos y altísimos, cargados de frutos, a cuya sombra reposan cuantos obtuvieron por vía purgativa el perdón de sus pecados. Ríos de agua, leche, vino y miel fluyen sin cesar, y purifican y endulzan con sus linfas el corazón de los poetas que lo habitan: exentos ya de los celos y envidias que en el mundo envenenaron su existencia, los literatos gozan allí de una paz espiritual aquí insólita y de una fraterna e indisoluble amistad.

Si te conozco bien, dice ella mientras aprieta el botón de alto de su programador a distancia, éste no es tu grado. ¡No te imagino en una de esas animadas tertulias de poetas, novelistas, críticos, filólogos y gramáticos que tanto gustan a tus paisanos, discutiendo con ellos de temas literarios por toda la eternidad! ¡Qué castigo cruel el de sufrir la compañía de académicos y cortesanos, figurones y enmedallados, toda esa benedetta cohorte de atorrantes, poetas cavafianos, musas letradas, bodrios henchidos de vanidosa autosuficiencia de la que huías con horror! No ignoro que, pese a tu desdén a la grey letraherida, has mantenido enhiesta la amistad con un reducido grupo de autores, cuyo juicio crítico vale más para ti que todas las reseñas lisonjeras del mundo. La desaparición de algunos, a quienes por tu creciente desarrimo de las cosas mundanas, no veías desde hacía años, te ha llenado, lo sé, de frustración y nostalgia. ¿No has soñado acaso con Jaime, en un Jaime escoltado por una muchacha de amansada belleza de leopardo que subía la escalera de un Grand Hotel o palazzo y, al cruzarse contigo, te abrazaba sin rencor alguno, los rasgos afinados por la enfermedad que le consumía y ese empaque aún juvenil de niño bien que siempre reprobaste? Manuel, Reinaldo, ¿no acudieron también a tus citas nocturnas hasta el punto de querer exorcizarlos en las veladas de Shaaban, las ceremonias de trance gnaua? Y tu peregrinaje a la tumba del Poeta enterrado en Larache, con el ánimo sereno de quien visita a un wali, a sabiendas de que tropezarías con otros romeros atraídos por la baraca de su santidad... ¡Excepciones, claro está, a tu aversión a la Gran Tertulia cafetera o televisada, a ese cotarro de aves amaestradas en los antípodas de las almas encarnadas en el interior de unos pájaros que, según mi libro, vuelan libremente por el jardín del paraíso y se posan en las ramas de los árboles, alimentándose de sus frutos, bebiendo de las aguas de sus ríos y conversando con Dios!

15

¿Qué grado sería el suyo en el concierto universal de las ánimas?

Después de una divagación por las nubes, obstaculizada a menudo por el vuelo horizontal o en picado de diversas criaturas angélicas

(¿ángeles, arcángeles, serafines, querubines, tronos, potestades, dominaciones, según la clasificación del libro de catecismo que estudiaste en el colegio?)

hasta el extremo de poner en peligro la sutil navegación de las almas en lista de espera, sueltas como avecillas en el itsmo o barzaj

(¿se debía aquel tráfico intenso a una huelga de los controladores del empíreo, como suponía ella, o era el número excesivo de nómadas celestes el que en las horas punta colapsaba el tráfico?)

se posaron en una altura desde la cual el planeta terrestre parecía una pequeña anilla más de las que componen una cota de malla, perdida en medio de una planicie de límites indeterminados.

Mujeres y hombres de hermoso rostro blanco, bellamente ataviados y envueltos en un aroma refrescante y suave discurrían con movimientos pausados, sin prestar atención al puesto de feria en el que la Dama de la Sombrilla anunciaba sus poderes de adivina con el rótulo luminoso, parpadeante, de TELEVISIONARIA.

Se acomodaron en el sofá, junto a su mesa de despacho cubierta de facsímiles, ordenadores, teléfonos. Tras recabar de él toda la información necesaria, la Dama la introdujo en una gran máquina tragaperras como las de las salas recreativas y aguardó abanicándose la respuesta de Astroflash. Luego, a medida que el aparato liberaba su respuesta en forma de un largo pliego de hojas impresas, las fue doblando una a una por la línea de separación puntuada hasta formar el librillo compendiador de su vida. Hubo un largo silencio durante el que ambos intercambiaron miradas de complicidad y sostén, tratando de descifrar en la expresión de la Dama el contenido de la sentencia.

Su vida no es realmente modélica, dijo al fin. Estará usted de acuerdo con ello, ¿no es cierto?

Recorría distraídamente los pliegos sin fijar particularmente su atención en ninguno, lo que ella había interpretado, según le susurró al oído, como una buena señal.

Ya sé que quiere a su mujer, pero su vida con usted no ha debido ser siempre para ella un lecho de rosas, ¿me explico? Las relaciones con su hermana y hermanos, ¡desdichadas a más no poder! En cuanto a sus escritos, corramos piadosamente un velo. ¡Usted mismo ha admitido to be dead to decency! ¡Oh, ya sé, ya sé: conozco el viejo cuplé de la sinceridad, de la confesión a tumba abierta! ¡Boberías y simplezas para cazar a incautos! ¿Qué quiere usted que le diga? ¡Su ficha astrológica no es lo que se dice brillante!

¿Eran sus palabras verdad sabia y maciza? Medio in nebulam, medio in latere montis, se habían retirado con sus almas medrosas y aturdidas, sin saber si flamaría en el Día del Juicio o entraría en las esferas celestes, iluminadas por la Inteligencia Superior.

Tanteando entre las brumas de la alhama, en fuga del ángel tentador y sus aleves tormentos, desembocas de brusco en un cuadro de sobrecogedora belleza: a sueño lento, tu mirada disfruta por turno de la visión de docenas de forzudos, a solas o en grupo, de aspecto fiero y manos enlazadas, como sellando un acuerdo de paz; levantapesas de músculos salientes y combados por el esfuerzo; jayanes bien puestos de mostachos, brazos en jarra, escudos pectorales recios, con el irradiante fulgor de sus calzones de cuero y robustez plantígrada. Su cuerpo sólido, estampa indómita y trabazón maciza son el emblema del vigor de su fe; sus ejercicios musicales y atléticos, de vivencias y formas espirituales profundas. Al saltar y dar la vuelta al foso en el que actúan, besan las yemas de los dedos de la mano derecha y rozan el suelo con ellas en ademán de humildad, cogen las tablillas alineadas al borde y las disponen a sus pies, circundando al guía. Bocabajo, con las piernas separadas al máximo y los brazos abiertos para aferrarse a los extremos de las planchas, ejecutan una serie de flexiones, elevando el torso y tensando los músculos mientras ondulan el cuerpo mimando el flujo y reflujo de las olas, el ondeo suave de las corrientes marinas. Sinuosos, cimbreantes, parecen nadar y escurrirse en la sutileza del aire. El guía les alienta con movimientos de espiroqueta y enumera sus contracciones helicoidales, implorando la ayuda de Alí y los Santos Imanes. Sólo entonces descubrirás el sitial del maestro, disimulado en la penumbra exterior a los haces de luz que convergen en el foso de los deleites: encaramado en su púlpito, con el timbal apoyado en el regazo, marca prodigiosamente el ritmo con ambas manos, lo modifica conforme a las exigencias del canto, indica el comienzo y fin de cada ejercicio, toca la campana con singular precisión y viveza. Su talento admirable estimula y galvaniza la fuerza de los atletas, enardecidos a la escucha de sus relatos épicos, plegarias al Profeta y delicados poemas místicos. ¿Sueñas, sueñas aún? Los gigantes armados de unas mazas de madera abultada y oblonga que apoyan en el hueco de los hombros como reclutas de instrucción, ¿aguardan de ti la señal iniciática? Cuando les ves enderezarlas de forma simultánea y trazar con ellas un círculo completo en torno al omóplato, costillar y pecho, tu visión, ¿es real? El aspecto imponente de los maceros, convertidos en héroes de una suntuosa baraja de naipes, ¿refleja un cuadro escénico material y concreto o es producto de una imaginación ofuscada por la desnudez de su incierto y cuestionable status? Los miríficos reyes de bastos, de bíceps arqueados y tendones férreos, ¿han surgido de un mundo fulgente y secreto, como entes o personajes de sueño, súbita y hermosamente encarnados? Éxtasis, rapto, júbilo, exultación: ¡conciencia de haber alcanzado tu grado, tu parte de gloria y goce inmanente sin que tu espíritu conciba siquiera la posibilidad de algo mejor! ¿Acaso no ha dicho Ibn Árabi que, si así no fuera, el cielo no sería morada de bienaventuranza sino mansión de dolor y desilusión acerba? Aguzando la vista, contemplas la apoteosis del foso y su ronda perfecta, cifra y tenor de tu dual recompensa y castigo. Los giróvagos que, con gracia y esbeltez de rueca, desdibujan sus siluetas cruciformes como peonzas o ventiladores, ¿poseen el don de la tangibilidad y consistencia? ¿Qué extrema sugestión o quimera reflejan los atletas que se estremecen de pies a cabeza, cual arbustos ligeros agitados por la brisa o la superficie vibrátil de un líquido acariciado por un viento suave? Cuando alzan los brazos y sus cuerpos fluctúan como agudas lenguas de fuego en su espacio mágico circular, ¿perteneces todavía al mundo corpóreo o vives una teofanía y te has desasido para siempre de las criaturas y trampas de la sensibilidad? Imantado al foso, iluminado por la luz nítida y pugnaz de los focos, admiras, admirarás todavía a los jayanes que miden ardorosamente su temple y firmeza, prendido cada uno de ellos a los miembros de su rival, escabullendo su brazo con presteza y agilidad. *Tan dulce como las cadenas del amor,* canta el maestro / *así la lucha con sus vuelcos y presas.* / *Aferrarse al contrario de acuerdo a las reglas* / *es la pura delicia.* ¡Pero flameas, flameas como ellos, envuelto también en su corona de llamas, ardiendo y consumiéndote de pies a cabeza, criatura ígnea, sumida en el corro de los destinados a la incandescencia, víctimas voluntarias de su ínsita vehemencia y pasión! La carencia de dolor te sorprende y, girando en el foso de la diafanidad, para ti epifanía divina, comprobarás ligero y tenue la extinción de la pena inherente al castigo y la de tu propia individualidad.

17

¿Había en la visión de su grado confusión de esencias, divinización de la criatura, encarnación de lo trascendente?

Nada de eso, dijo ella. Para Ibn Árabi, la multiplicación de las formas es la modulación compleja de una misma Presencia. Materia, personas, sucesos, fenómenos naturales, obras de arte son los signos de ésta. Así, la infinita riqueza y variedad del mundo pueden abreviarse en escenas como la que has descrito, en las que la belleza irradiante del cuerpo es unión, desposorio y rapto, prueba de que el yo y lo ajeno se funden en uno.

Dejó el libro sobre la mesa y rompió a reír. Su cigarrillo se consumía en el almirez, en una esquina de la mesa cubierta de revistas y, al percatarse de ello, lo estrujó cuidadosamente y manoteó el aire para alejar el humo.

Como podía ver, tenía bien empollada la lección. La busca de una cita que figuraba en una nota a pie de página de su estudio sobre la escatología cristiana e islámica en las obras posteriores a Asín, se había convertido en la cala fecunda en un universo enigmático y fascinante, un verdadero océano sin orillas. ¿Recordaba la frase de «The crack-up« que había mencionado en el aula, en uno de sus cursillos neoyorquinos: el sello de una inteligencia de primer orden estriba en su capacidad de fijarse en dos ideas opuestas, sin perder por ello la posibilidad de funcionar? ¿No era así? La cita le había impresionado y la anotó para grabarla en la memoria. Pues bien, Ibn Árabi constituía la demostración más convincente de este sello o signo. Toda su obra, el espacio textual de su obra, es la palestra o terreno en los que de pronto los opuestos convergen, los antagonismos se anulan, lo opaco y luminoso, caduco y permanente armoniosamente se concilian. Mediante iluminaciones o teofanías instantáneas, nos conduce adonde quiere llevarnos: todo el universo, infiel o creyente, glorifica a Dios. Deja que te lea este párrafo: si nos miramos sólo a Él miramos; si nos oímos, sólo a Él oímos. En todo rostro se epifaniza y el ojo nada sino a Él mira. Él es el adorado en todo lo que se adora. Te pareceré atrevida, pero mi lectura es la siguiente: ¡el foso circular, colmo y meta de tus deseos, es una manifestación de Su Presencia y tu entrada en el corro un acto de sumisión!

Hablaba deprisa, con una exaltación que coloreaba sus mejillas y acentuaba la luminosidad de sus rasgos. Por la ventana entreabierta (¿era verano?) admiraban los dos, como en los viejos tiempos, el gris desvaído de los tejados, la Cúpula verdebiliosa de la Ópera, los diminutos rascacielos de la Défense, la silueta alastrada del Mont Valérien. La precisión de los detalles y naturalidad de la plática aumentaban su perplejidad.

¿Las coronas de llamas y lenguas de fuego?, dijo ella, adelantándose a sus objeciones. ¡Olvídate de Dante y las versiones primitivas de la Escala! ¿Quieres que volvamos a la agencia de la Dama de la Sombrilla y hagamos un recorrido comentado del Tercer Recinto? ¿O prefieres que miremos el vídeo con las alegorías del Bosco y láminas de Doré? Cuando el poeta pone a su maestro Brunetto Latino en el círculo de los nefandos, reos del crimine pessimo, y lo describe cubierto de ampollas, con el rostro cocido por completo, ¿cómo creer en sus protestas de amor y respeto, si se trata a todas luces de una deplorable venganza? ¿Por qué lo deja en la turba atormentada, en la mesnada que eternamente llora sus pecados con *tinta faz* [que] *el fuego altera?* ¡Vaya ejemplo de caridad y espíritu cristiano! Volvamos otra vez a tu paisano: el infierno es el cendal que impide al hombre reconocer a Dios en todas sus formas, el velo de quien contempla sus manifestaciones sin verlas. ¡Esta es su culpa y la razón de su castigo!

Alguien había golpeado en la puerta del estudio con la pequeña aldaba de bronce y se miraron inquietos: ¿Podían, quienes no habían entrado aún en la sutileza, divisarles, cruzarse con ellos, dirigirles la palabra? Callaron, reteniendo el aliento. Por fin, tras una tensa e interminable espera, percibieron el roce de algo que se deslizaba bajo la puerta seguido del crujido de unos pasos vacilantes en el entarimado y el aliviador zumbido del ascensor al ponerse en marcha.

18

Sobre la raída moqueta de la entradilla, a escasos centímetros de la puerta, había un pequeño sobre rectangular, sin indicación alguna respecto a la identidad del destinatario ni del remitente. Lo abrió temblando, con ayuda de un cortapapeles y leyó en voz alta para informar a ella de su contenido:

Muy señor mío:

Le agradeceríamos que con la mayor brevedad contestara de forma clara y detallada a las siguientes preguntas:

1.ª ¿Quiénes son los ocultos, los puros, los piadosos, los guardianes fieles del depósito en el universo, los que se disimulan entre las gentes para escapar a su mirada?

2.ª ¿En qué fecha exacta de su vida empezó Vd. a masturbarse?

3.ª ¿Cuál es el número y consistencia habitual de sus evacuaciones?

Su respuesta puede sernos enviada por escrito aunque, si le resulta más cómodo, el reglamento autoriza igualmente una declaración oral en nuestras oficinas en las horas de despacho.

Atentamente suyos,

DOCTOR NAQUIR Y DOCTOR MUNCAR
Expertos contables

El corazón le dio un vuelco. ¿Cómo habían podido los escrutadores localizar su antiguo escondrijo en el reino de la tangibilidad? ¿Se movían como él, con idéntica facilidad, en el ámbito de los dos mundos?

Se volvió a ella perplejo, pero su perplejidad aumentó al descubrir que, no obstante el hecho de que la puerta seguía cerrada con pestillo y la disposición del lugar no permitía escapada alguna, pura, simplemente se había desvanecido.

19

Cuando despertó o pasó de un sueño a otro, el anacronismo de la situación le perturbó: ¿no había dejado, después de la muerte de ella, el estudio frontero a su apartamento en el que ahora la recibía para mudarse con sus papeles y libros al piso inferior y comunicarse directamente con el de su mujer mediante una escalera de caracol? Si su propio desdoblamiento de la cárcel del cuerpo había ocurrido allí, ¿a qué se debía ese retorno imaginario o real a la circunstancia anterior? La manifiesta permeabilidad entre los dos mundos, ¿obedecía a la arbitrariedad de las leyes que rigen los sueños o era efecto de los poderes de metamorfosis de los espíritus que en cuarentena yerran ociosos por el barzaj?

20

¡Invierta en el Más Allá! ¡Adquiera para usted y su dulce mitad una parcela edificable, una cómoda villa unifamiliar o un dúplex del suntuoso edificio de apartamentos con vistas exclusivas a las radiantes esferas celestes de los diferentes grados o círculos del paraíso, según las posibilidades de su hacienda! ¡Escalofriantes ofertas para nuestras áreas en promoción! ¡Grandes facilidades de pago, con primas especiales a excombatientes y madrinas de guerra!

La Dama de la Sombrilla se desgañita con ayuda de la megafonía, distribuye folletos y octavillas, muestra maquetas de inmuebles, pisos piloto y planos de construcción debidamente avalados por los Departamentos de Urbanismo y Ecología.

¡Nuestro holding, cuya casa matriz se halla en Tampa, Florida, Estados Unidos de América, ha programado con los expertos del Alto Mando de la mundialmente célebre operación Tempestad en el Desierto, la extraordinaria demolición/refacción del emirato mártir, que ha reactivado nuestra desfalleciente economía y llenado el universo de admiración y pavor! ¡Ahora, cerrada esa página gloriosa de nuestras Stars and Stripes, nuestro Board of Managers, previa consulta con la junta de accionistas, ha decidido dar el salto cualitativo y extender sus actividades, esta vez meramente constructivas y fundadas en el respeto al paisaje, al mismísimo empíreo, en estrecha colaboración con la KIC y diversos grupos bancarios. Sans oublier la touche du chic et du raffinement. La différence française!

Atraído como otras sombras errantes a la sala de proyecciones del holding, seguirás con ellas el vídeo de propaganda con versos de Dante e imágenes del paraíso grabadas por Doré.

¡Contemplen el sacro monte de la perfección y desposorio del alma; las inteligencias de las esferas que reflejan los rayos de la altura e imprimen su forma a la materia! La terraza desde la que se han tomado las vistas es, como pueden ustedes ver, la de un dúplex familiar de nuestro edificio modelo de apartamentos, dotado de todas las comodidades a las que pueden aspirar en recompensa a una vida consagrada a los negocios y triunfo de nuestros ideales de progreso y justicia. ¡Observen los detalles del living, del salón panorámico, de los telescopios destinados a captar el vuelo de las criaturas celestes y la trayectoria de nuestros proyectiles balísticos! Las conquistas y avances de la técnica puestos al servicio de su eterno disfrute y bienestar personal! ¡Todo a precios imbatibles, al alcance de sus bolsillos!

Y de pronto

Merde! Mais qu'est-ce que c'est ça?

En vez de los planos del mundo sublunar y la visión beatífica, la pantalla reproduce imágenes de devastación y de ruina, vehículos atascados en ignición, fumigación letal de aviones en vuelo rasante, cuerpos carbonizados, helicópteros que vomitan llamas, escenas de pánico, dispersión enloquecida de hormigas, antorchas vivas, rostros de niños y mujeres boqueantes y privados de oxígeno, fuego, más fuego, apocalipsis, horror, vasta incineración colectiva.

(Voz en off: say hello to Allah!)

¡Alguien (¿un diablillo o genio?) ha sustituido el vídeocasete en el aparato lector unido al televisor de la Dama de la Sombrilla!

21

¿Recuerdo exhumado de sus ejercicios espirituales en la casa de la Orden en Manresa o reelaboración posterior a la luz de lo escrito por Blanco White en su «Autobiografía» y las evocaciones de Stephen Dedalus trazadas por Joyce? La pintura estremecedora de los tormentos, el símil del pajarillo y el grano de arena retirado con el pico cada diez mil años en la playa inmensa, la desdichada historia del adolescente precipitado a las llamas eternas por un solo pecado de impureza, expuesto todo ello con astucia teatral y cavernosa mímica a un auditorio silencioso y aterrorizado tras varios días de aislamiento hermético, dijo ella, correspondían a una versión degradada y pobre de la escatología popular de predicadores ignaros y regidores del miedo. ¡Nadie creía ya en el averno ni en la leyenda del niño que a causa de un mal pensamiento arde aún en las calderas de Pedro Botero, tras ser atropellado por un justiciero autobús!

Se habían acomodado en un prado, cercano al jardín de la bienaventuranza y podían dominar con la vista el pozo de agua extática cuyo contenido se transmuta en llama de amor vivo, la fuente que refleja los Ojos alegóricos del Amado, el árbol que crece en el interior del alma contemplativa, las ánimas de los inocentes encarnadas en pajarillos de vuelo raudo y plumas de deslumbrante blancura. Como no creía en sus sentidos, ella se apresuró a tranquilizarle. ¡Todo aquello figuraba en el poemario sufí y la Dama de la Sombrilla no perturbaría allí el sosiego con su plática inoportuna!

Había leído atentamente los materiales de consulta del texto y, aunque no podía ayudarle ya en el trabajo ni traducir sus cuartillas, la experiencia acumulada en el barzaj le permitía ilustrarle y corroborar las iluminaciones y epifanías del Sello de los Santos. La gehena existe, dijo, pero la eternidad de su estancia en ella no implica la perdurabilidad de las penas. La Misericordia se extiende a todos los seres y el fuego de los réprobos se transmutará en paz y frescura. Si existen criaturas terrestres, aéreas y acuáticas, ¿por qué no ígneas? ¿No es acaso el fuego el más bello y activo de los cuatro elementos? Los seres ardientes, por graves que hayan sido sus culpas, viven de acuerdo a la ley de su naturaleza y sufrirían si se les privara de lo que exige ésta, como el pez que se asfixia cuando lo sacamos del agua. El fuego es su ámbito y en él conocerán la felicidad perpetua. ¡Qué manera genial de interpretar el texto revelado! ¿Imaginas el escándalo de los teólogos y canonistas? ¡Mira el corro de los atletas, arrobados de dicha!: ¡sus rostros de mancuernado bigote, músculos concisos, cuerpos compactos, «como un bloque cristalino y prismático, de majestad suficiente y pura»! ¿Cuántas veces te has postrado ante ellos de hinojos, subyugado por el volumen de sus formas, esplendidez de sus atributos, sólida densidad mineral? Ciego a la teofanía de un universo en el que hasta las piedras Le glorifican, los adorabas como ídolos. La proliferación de cosas y seres te distraía. Ahora, con el alma recogida y quieta, puedes captar la armonía y concierto de los elementos con ánimo sereno y limpio. ¡Visiona una vez más el vídeo del foso y la ceremonia de los forzudos! ¡Ardes con ellos, con el más rotundo y leonino de ellos, vuestros cuerpos de llamas imbricados hasta el acoplamiento fusional en uno! ¿No era eso lo que oscuramente buscabas cuando te decidiste a componer el libro?

22

¡Su mujer! ¿Sería posible?

¿Había abandonado temporalmente, para saludarle, el reino de lo sensible o era él quien había dado el salto atrás, introduciéndose por fractura y escalo en un mundo ya extinto? El espacio íntimo y exteriormente normal de su domicilio resultaba tan inquietante como esos ilusorios momentos de calma que preceden al estallido de las grandes borrascas. Mientras se desprendía con cautela de sus prendas de abrigo, percibió los movimientos de ella en la cocina, sacando los cubitos de hielo del refrigerador. Se dirigió a la sala de estar con pasos furtivos, temeroso de romper con un ademán brusco el equilibrio frágil de los elementos. Sentimientos e ideas contrapuestos se entrechocaban en su fuero interno. ¿Debía saludarla con lágrimas y enternecimiento, como exigía el carácter excepcional de la circunstancia? ¿Precipitarse a sus brazos y dar rienda suelta a la emoción que le embargaba? ¿Cómo explicarle, de forma racional y plausible, la desaparición y regreso? ¿No corría el riesgo de conmocionarla, privarla tal vez del uso de sus sentidos? ¡No obstante, al entrar, la había oído saludarle por su nombre desde la cocina con perfecta naturalidad! Era la hora del vaso de güisqui, tras la probable jornada de trabajo o visita de amigas. El lugar le parecía plagado de trampas y, después de considerar diversas opciones —correr a su encuentro a la cocina, escabullirse por la escalera interior a su habitación de trabajo, fingir una necesidad natural y refugiarse en el lavabo a la espera de los acontecimientos—, resolvió quedarse en el saloncito y acomodarse con aparente tranquilidad en el sillón.

¿Has trabajado bien?, dijo ella mientras surgía al fin con su caftán color burdeos y se sentaba en el sofá tras depositar el cubo de hielo en el suelo. Tragó saliva, sin poder emitir otra cosa que un umm, azorado y confuso en cuanto a su estado y realidad de la escena.

¿Cómo no había manifestado la menor sorpresa por su venida ni rozado siquiera sus labios con los suyos, según solía después de sus ausencias? ¡Era como si acabara de dar una vuelta por el barrio o no hubiera salido tan sólo del piso! Aguardó unos segundos, con la cara oculta en el periódico de la tarde, simulando enfrascarse en las noticias de la guerra. ¡El número de misiones aéreas de la coalición había alcanzado la cifra fantástica de setenta mil salidas! ¡Las crónicas de los enviados especiales subrayaban el alto grado de preparación de oficiales y mandos ante la inminente ofensiva por tierra!

He anotado las llamadas telefónicas, dijo ella. Nada importante; un librero me ha dejado su número. Por cierto, al bajar a tu cuarto, encontré en un escalón el ejemplar anotado de la «Divina Comedia». ¿Cómo lo había olvidado allí? ¿Se le había caído sin que lo advirtiera? Hablaba con calma, totalmente ajena a la naturaleza insólita de su encuentro, demasiado absorta en lo cotidiano para reparar en el temblor de sus manos y turbación profunda. Su rostro sereno y ocasionales sonrisas mostraban a las claras la inexistencia de ansiedad y reproches. Se diría que, al eclipsarse del mundo breve, un doble suyo hubiera seguido junto a ella cumpliendo las funciones de marido. ¿Cuál de los dos sería el real? ¿El que vagaba en las brumas del barzaj o el que había permanecido en el piso?

Aprovechó una llamada a su mujer —Mi padre, dijo con un suspiro— para incorporarse del sillón, dar una ojeada a la disposición de la pieza y verificar que nada había cambiado, bajar la escalera interior y asomarse a su lugar de trabajo. La luz de la habitación estaba encendida y lo primero que vio fue la foto de ella —cabello rubio, ojos zarcos, cadena de oro en torno al cuello— que había puesto sobre la cómoda, al volver a la ciudad un año y pico antes, después de su éxodo a la sutilidad durante uno de sus viajes. Recorrió fugazmente con la vista los estantes de la biblioteca contigua al escritorio: diccionarios, anotaciones, obras de consulta, todo seguía en su sitio. Esparcidas por la mesa, halló algunas cuartillas sin corregir de su texto. Cogió una de ellas y descubrió, perplejo, que correspondían al borrador del presente capítulo.

23

Soñó en que había escrito un cuento de Ibn Árabi.

«Si me preguntaran, 'Pero, ¿cuál es la historia de Xauhari?' podría deciros que, según refiere él mismo, salió un buen día de casa para llevar harina fermentada al horno del panadero en un estado de impureza ritual. Después de dejar aquélla en su tienda, fue a la orilla del Nilo a cumplir sus abluciones y, mientras permanecía en el río, se vio a sí mismo, de la manera en que nos vemos en sueños, como si estuviera en Bagdad. Se había casado, vivía con la mujer desde hacía seis años y tenía con ella varios hijos, no recuerdo ahora cuántos. Luego que volvió a sí mismo, todavía en el agua, acabó de purificarse, salió del río, se vistió, pasó por el horno a recoger el pan, regresó a casa y contó a su familia cuánto le había sido revelado en aquella visión. Transcurridos varios meses, la mujer de Bagdad con quien se había visto casado en el Nilo, vino a su ciudad y averiguó sus señas. Al llegar a su casa, él les reconoció al punto tanto a ella como a los niños, y no pudo negar que fuesen suyos. Le preguntó cuándo se había casado y ella dijo: 'seis años ha y éstos son nuestros hijos'. Así, lo que había ocurrido en la imaginación se manifestó concretamente en el mundo sensible. Esta es una de las seis cosas mencionadas por Dhu al Nun al Misrí que las mentes ordinarias juzgan imposible».

Lo acaecido, ¿era una manifestación literaria del placer de las imaginaciones inverosímiles defendido por Blanco White y experimentado por Borges? O, como observó su mujer, cuando le mostró el texto, ¿una astucia ingeniosa de Xauhari para justificar su bigamia real, disfrazándola ante los suyos con un halo de santidad? ¡De lo que podía estar seguro era de que, de haber sido ella la esposa egipcia, no se habría tragado el cuento ni habría acogido a la de Bagdad con su patulea de chiquillos!

Por fortuna, dijo cariñosamente antes de abandonar el sueño y desvanecerse, ¡con él no corría al menos esa clase de peligros!

24

La bestia ha metido ya sus patas en el umbral de la puerta y ha tomado posesión de ella, y aunque entonces quiero impedirle que entre, mis esfuerzos se estrellan en su soberana indiferencia, investida de fría majestad se adueña sin prisas del lugar, recorre la casa con aires de propietaria, se tiende en la alfombra al pie de mi cama y por espacio de horas me contempla. No distingo bien su silueta, pero sí sus pupilas, fijas en mí. Ni de día ni de noche se aparta de mi lado, acecha imperturbable movimientos y pasos, extraña por completo al ajetreo de las visitas. Ni mi madre ni mi hermano ni mi padrastro, ni tan siquiera el médico convocado por la familia, parecen percatarse de su presencia. Pasan junto a ella sin verla, me toman el pulso, se interesan por mi salud y apetito, expresan su preocupación por mi estado mental. Cuando les hablo de ella no me escuchan, me prodigan frases de aliento, desvían la conversación a otros temas. Hablan de enajenación transitoria, desdoblamiento de personalidad. Son incapaces de percibir sus ojos verdes, brillantes, asimétricos, incrustados a veces como esmeraldas en su cabeza de contornos inconcretos, suspendidos otras en el puro aire, paralelos, flotantes, con sus pupilas insondables atentas al menor de mis gestos. Me vigilan sin aquietarse, insertos en los míos, pero multiplicados y en movimiento: desde la puerta y alfombra, ventana y techo. Son varios pares ya, apostados en distintos lugares de la habitación, en el hospital psiquiátrico adonde me trasladan: siempre verdes, brillantes, asimétricos, perfectamente concisos y opuestos, apuntando a mí doquiera que mire y aunque mantenga los ojos cerrados. Lo que temo desde niña, exactamente desde que murió mi padre, es una realidad. La bestia de mirada escrutadora ha irrumpido en mi vida, se ha apoderado de mi alma y sentidos, gobierna mi mente, sujeta mi voluntad. Sus ojos inquisitivos están en todas partes, proliferan como un virus maligno, me acribillan desde su ubicuidad: los hallo entre los pliegues de la sábana, servidos en la bandeja del desayuno, inmersos en el vaso de agua con las gotas prescritas por el médico. ¿Cómo no los ven? ¿Son ciegos y obtusos hasta el punto de no verlos? Y, para huir de ellos, abandono a escondidas el hospital, eludo el servicio de vigilancia, corro a la estación de aquella odiosa localidad de las afueras con sus casitas alineadas, calles desesperadamente limpias, cartelitos anunciadores de la amenaza de perros tan despiadados y fieros como sus dueños, tomo el tren que lleva a París, me apeo en el andén de la Gare du Nord. Cuando años más tarde leí tu libro y di con la frase enigmática en la que me describes —«el grito lancinante de la alienada que atraviesa titubeando el vestíbulo de la estación crea alrededor de ella un espacio sagrado inaccesible a los curiosos ajenos a su delirio»—, me desprendí del espacio y el tiempo, volví a verme en el vestíbulo inmenso, hormigueante de público, acosada por la multiplicación infinita de los ojos de la bestia, abriéndome paso entre el gentío convocado y disperso por los altavoces, condensando en la emisión de aquel grito todo mi desamparo y terror. Aunque no me designas, supe que era la designada. Poco importaba que hubiera sido o no testigo de la escena —¿no era en aquellas fechas la Gare du Nord la estación del ligue durante tu ascenso a través de las moradas?—: el ojo de la imaginación me había descubierto. Creo que la premonición de nuestro encuentro salvó mi vida y me permitió sobrevivir a aquellas soledades. La fuga no había sido inútil y volví al hospital. Poco a poco, los ojos de la bestia aflojaron su aprieto, cesaron su asedio y levantaron el cerco, se disolvieron gradualmente en el entorno aséptico del pabellón de chiflados al que me había enviado mi familia. Sin saberlo con certeza, presentía que alguien había captado el significado del grito y hallado en su desafío a la lógica, su propia invulnerabilidad. Desde entonces, sentía una voz interior que me llamaba, un silbo muy delicado que salía de lo más íntimo de mi pecho y me dejaba en suspenso, viendo cuán cerca lo tenía dentro de mí y, a la vez, cuán lejos pues, por mucho que me esforzara, no acababa de poseerlo. Pero me sentía curada, capaz de afrontar la existencia, alejarme de la familia, tentar suerte en América, casarme, separarme, seguir mis estudios en la universidad hasta el día en que te conocí por casualidad en una cena absurda de profesores y graduados en Morningside Drive y tuve el convencimiento, aun antes de leer tu libro, de que me habías asistido en el momento de mayor desamparo y tribulación. Al ocultarme al fin, después de mi tránsito y viaje al barzaj, me alivió descubrir que no estabas en el cementerio como los demás. Mi ánima disfrutaba ya de la transparencia y las imágenes del mundo se grababan en ella, independientemente de épocas y distancias. Escúchame bien: elabora tu texto aprovechando mi experiencia directa de lo intuido por los novelistas y místicos en los que me has iniciado. ¿No ves que los sueños, que sólo el ojo de la imaginación percibe, penetran en lo que ha sucedido, lo que sucede y lo que sucederá, antes de que suceda? ¿Qué facultad, fuera de la imaginación, posee el don de abarcar, barajándolos, espacios y tiempos y compendiar el universo, todo el universo, en la matriz privilegiada de un libro?

25

No es el vídeo de la Dama de la Sombrilla ni una proyección en pantalla de las ilustraciones de Gustavo Doré. El espacio urbano en el que discurres ofrece una interminable sucesión de ruinas, cráteres de obuses, fachadas en equilibrio precario, alminares truncos, restos calcinados de autobuses, tanques abandonados con su dotación, gasolineras en llamas, viviendas de oquedades vacías y bostezos negros, vestigios del saqueo y orgía de sangre, víctimas de ejecuciones sumarias envueltas en un aire irrespirable, hedor dulzón de cuerpos descompuestos, multitud de civiles fulminados en plena desbandada, ojos agrandados por el espanto, frentes agujereadas por bala, manos crispadas con el índice acusador dirigido al invisible autor de la carnicería. ¿Inmolados como cobayas en el altar de las nuevas tecnologías bélicas o de la venganza demente del perdedor? La localización imprecisa de tu visión te impide responder con puntualidad a la pregunta. No sabes dónde estás ni cómo has podido llegar al lugar, adelantándote a los chacales y avanzadillas del enemigo. Los réprobos ignorados por Dante, ¿son kurdos, chiís, palestinos, desertores presa del pánico o simples hijos de la fértil Mesopotamia aferrados hasta el fin a su instinto de vida, como a la única verdad maciza e incontestable? ¿Has llegado quizás al primer piso de la gehena, esa llanura o cárcel de los vientos en la que, de acuerdo a los viajeros, sus habitantes comen su carne y beben su sangre? El suelo está sembrado de objetos heteróclitos, abandonados en su éxodo por un pueblo errante, privado cruelmente por la historia de la luz de la justicia: cacerolas, edredones, mantas, prendas de vestir anacrónicas, hornillos de gas, una nevera sin puerta, zapatos de niño, botas desparejadas, gorros de soldado, una muñeca mutilada y calva, una oveja que mordisquea simulacros de hierba sujeta con una cuerda a la mano agarrotada y yerta de su propietario. Una imantación más poderosa que el horror te obliga a detenerte y examinar uno a uno los cuerpos caídos en las aceras, esquinas, arroyos y encrucijadas de la ciudad fantasma, allanada por los bombardeos y rematada por el tirano: un chiquillo con la faz corroída por el fósforo y párpados semifundidos, colgantes como flequillo; dos militares incinerados por arma guiada por rayos láser, reconocibles sólo por sus cartucheras y cascos inútiles; el tronco de un cadáver sin extremidades, cubierto de moscas por toda vestidura. Un presentimiento aún confuso pero insistente te amonesta y previene que detengas aquí tu camino. ¿Quiere evitarte el descenso penoso a los pisos inferiores del averno, donde fluye un río de azufre hirviente, sus moradores carecen de ojos y enormes serpientes devoran a los precitos? La angustia que se apodera de ti y cala en lo más recóndito sugiere la inminencia de imágenes más dolorosas y próximas, la exhumación de heridas más hondas, de cicatrización imposible. Avanzas temblando, no obstante el ardor de la bruma y fetidez de los cuerpos, hacia la silueta caída de bruces de una mujer bien vestida, arrebujada en una elegante piel de zorro y tocada con un sombrero de moda en los años treinta. Un aura luminosa, cuya irradiación se difunde y atenúa a medida que se aleja de ella, la distingue a simple vista de su entorno y parece emitir un mensaje expresamente destinado a ti. La premonición galvaniza tus fuerzas, descarta admoniciones y advertencias, se afinca en tu ánimo con fatalismo e incredulidad. ¿Quién es? ¿Qué hace aquí? ¿Por qué no osas darle la vuelta y descubrir su cara? ¿Temes no reconocerla después de tanto tiempo pese a las fotografías que de ella conservas? ¿O que te ciegue con la belleza y plenitud de su rostro, hecho de llama viva? Reteniendo el aliento, te inclinarás al bolso que todavía sujeta y verificarás, más allá del pavor, la punzante exactitud del recuerdo; todos vuestros regalos permanecen indemnes. ¿Es la madre de seres concretos, con articulaciones, nervios, sangre, médula y huesos o el símbolo y encarnación de todas las madres, sorprendidas igualmente de compras, en los bombardeos de Barcelona, Basora o Bagdad? El lapso de una vida, ¿no ha conjurado su espectro? ¿Qué chispa ha alimentado la pesadilla nocturna y devuelto a la crudeza de la visión lo que debía haber permanecido sepulto en la densidad del subsuelo?

26

Cierras los ojos y, favorecido por la quietud y silencio, divagas ligero, casi a ras de suelo, sobre las calles, panteones, mausoleos, aglomeraciones de tumbas que recorriste años atrás, encorsetado en tu cuerpo, en una estancia paulatinamente impregnadora y fecunda, que no olvidas ni olvidarás jamás. Arropado con una manta raída, entre el cenotafio de un personaje fallecido medio siglo antes y el jergón del viejo, has vivido allí tu primer ilapso y visita imaginal al reino de las sombras, liberado de tu forma material durante el sueño, fugazmente unido a la pléyade de almas errantes que pueblan Al Qarafa y se desvanecen en sus sepulcros e hipogeos secretos al rayar el día. Dueño ya de la sutileza, te deslizas veloz, sin esfuerzo, por encima de zaguías solitarias, cúpulas estriadas, alminares esbeltos, exhumando imágenes y recuerdos de tu caminata diurna: calles polvorientas, fachadas decrépitas, arbolillos escuálidos, escombros, telares rústicos, oratorios privados, palomares, jardines, zonas residenciales. El albedo de la luna baña ahora las viviendas pintadas de verde y ocre, los patios ornados de flores y aleyas de mosaico, los cuencos de agua y pencas de palmera depositados sobre las tumbas. Los precarios signos de vida de la medina se han extinguido con las últimas bombillas, candiles y lámparas de gas. Familias, rebaños, aves de corral se han recogido a sus moradas y disfrutan de la paz y frescura nocturnas después del castigo solar, el polvo y agobio de la jornada. Es la hora enjundiosa del sueño, cuando los enterrados en los mausoleos salen de sus sepulcros y se comunican con los durmientes a través de la vigilia de la imaginación. Los prohombres reproducidos con levita y fez rojo en las fotografías colgadas de los cenotafios se aseguran del descanso de los guardianes, se asoman con cautela a los patios desiertos, asisten melancólicos al espectáculo de su inevitable decadencia y ruina. ¿Vuelas aferrado a las alas de Israfil, enormes como las del gallo del primer cielo, cuya cabeza, según los cronistas del ascenso, llega hasta los bajos del Trono de Dios? ¿O vives la delicia del planeo alígero, incitante sensación de peligro y arrobo de la ingravidez? Ningún ánima vela ya a la escucha de los boletines informativos de la guerra limpia, la acción de las armas inteligentes en sus misiones quirúrgicas y de ablandamiento, pero los efectos de la angustia difusa alteran el reposo de los habitantes con visiones de muerte y desolación, paisajes cubiertos de ceniza y copos ardientes. ¿Es esa inquietud la que perturba el sueño de Ahmed mientras, abrazado a su mujer, respira entrecortadamente, sin reparar en tu presencia furtiva después de tu larga ausencia? Escurriéndote de su intimidad, te parecerá oir la voz de un almocrí salmodiando la azora 67 del Corán en alguno de los entoldados callejeros dispuestos por las familias de los difuntos para la conmemoración de la cuarentena. Las ánimas devotas de Rabiaa y Al Bisthami vuelan en bandadas desde la escarpa casi vertical del Monte y las agujas y cúpulas de la Ciudadela. ¿Sueñas también como ellas o gozas, tras la purgación y desnudez, de la beatitud del rapto? ¿Has trascendido, gracias a la imaginación, los límites del tiempo y espacio, mezclas lo vivo con lo evocado, levitas sin dejar de pisar el suelo? Pues ves el entierro de Al Bisthami en el instante en que la comitiva escoltada por una nube de pájaros verdes escucha la llamada del almuédano y al proclamar éste la Unicidad divina el cadáver agita la mano bajo el sudario y apunta con ella al cielo y, simultáneamente, las sombras translúcidas que rodean la tumba de la Enamorada del Puro Amor, pasan las yemas de los dedos por las esquinas y se las llevan delicadamente al rostro, se arrodillan junto al sepulcro, acarician su manto, musitan plegarias mezcla de letanía y gemido. Anacronías, carismas, colisión de planos, ¿corresponden a las facultades de los difuntos en cuarentena o se extienden a la totalidad de las sombras? La belleza y sosiego del macabro, con sus verjas, cancelas, balaustradas, estelas funerarias, casuchas con dibujos de la Kaaba del peregrino, huellas de manos con la sangre del cordero pascual impresas en los muros, te extasían y llenan de dicha. Ella ha vuelto a tu lado y, mientras te muestra tu propio cuerpo dormido en París durante la trashumancia recién descrita, murmurará, abarcando con un ademán a las criaturas y cosas presentes en tu texto, ciego está el ojo que no ve que lo vigilas.

El saloncito de butacas tapizadas dispuestas en semicírculo en torno al televisor se ha ido llenando paulatinamente de público, asiduos del bar del hotel o extraviados turistas, a medida que se acerca la hora de la retransmisión de noticias sobre el alto el fuego e inminente final de las hostilidades.

Estás en medio de desconocidos, privado de la inmediatez reconfortante de ella y de los nómadas celestes que de ordinario os circuyen. Las cuñas publicitarias se suceden monótonamente y, al cabo, precedida por la sintonía e imágenes indicativas del programa que aguardas, aparece en pantalla la Dama de la Sombrilla, vestida con su traje de organdí de color lila, con vuelos de encaje y grandes lazos, collares de abalorios, medallas y camafeos, medias blancas, zapatos de tacón abrochados en el empeine con joyas y diamantes falsos. Después de saludar, diestra y siniestra, se instala en la cabecera triangular de una mesa cubierta de micrófonos y presenta a los invitados estrella de la velada, celebridades de la vida intelectual y literaria, convocadas a visionar las actualidades transmitidas en directo por vía satélite y comentar a continuación los acontecimientos

un filósofo de larga cabellera ondulada con pinta de George Sand

un sicoanalista autor de numerosos trabajos que imponen autoridad en la materia

un politólogo, ex kremlinólogo, oportunamente reconvertido a la islamología

y, ¡oh, sorpresa!

el joven de rostro enjuto, envuelto en una chilaba raída y tocado con un gorro de duende, que fumaba una pipa de kif acuclillado en la puerta de la alhama.

Tras varias secuencias con mílites sonrientes y pulcros, gráficos explicativos con flechas móviles y objetivos señalados por luces parpadeantes, imágenes suaves de proyectiles balísticos, destrucción de blancos remotos e impersonales, la Dama de la Sombrilla se vuelve a los invitados y les concede el turno de la palabra.

GEORGE SAND: ¡No hay guerras bellas, pero hay guerras justas, y ésta se la han buscado ellos con su terquedad e ignorancia! El gregarismo primario y amor a la tiranía les sitúan fuera del devenir histórico, como un magma residual, imprevisible y amorfo.

EL SICOANALISTA: Su identidad se funda en un fantasma umbilical que estructura todo un origen simbólico, tanto más activo cuanto que es inconsciente. El sueño en una Matría común —madre, lengua, religión, tierra— homogénea y pura, sin injerencia del Otro, presupone en último término la inexistencia del padre y la sublimación del incesto.

EL POLITÓLOGO: ¡Y la cosa no ha terminado aún! ¿Quién nos garantiza que más tarde otro genio autoproclamado no consagrará sus recursos petroleros o de otra índole a hurgonear en el campo de la química, bacteriología y arma nuclear, antes de invadir a sus vecinos, amenazar a Occidente con el terrorismo y, según sus medios, la destrucción masiva? ¡Por improbable que parezca a corto plazo, la hipótesis, a la larga, no es en modo alguno fantástica!

EL JOVEN DE LA CHILABA Y GORRO DE DUENDE:

يا عباد اللّه، خيثوني

Estupor, carraspeos, voces de protesta, insultos: ¡Si será cabrón! ¿Qué coño anda diciendo ese tío? ¿No hay nadie capaz de traducir su jerga? ¿Por qué no han traído a alguien más presentable? ¿O es que todos sus compatriotas son igual de bestias?

George Sand, el Sicoanalista y el Politólogo elaboran nuevas y brillantes teorías sobre el complejo de Edipo, inmadurez, fosilización, transtorno paranoide y narcisista de las masas hipnotizadas, pero nadie escucha: ¡el público, encolerizado, pasa de las palabras a los hechos y arroja tomates y huevos podridos al moro de la chilaba!

La Dama de la Sombrilla saca una boquilla de ámbar del bolso, inserta en ella un cigarrillo filipino, prende fuego con su encendedor Ronson y exhala una bocanada de humo para relajarse, en medio del clamor general. Aparentemente, ha salido de la pantalla, pues camina y se planta frente a ti con todo el furor de su dignidad ultrajada.

¡Felicitaciones!, te dice. ¿No le avergüenza su distanciamiento de este hermoso consenso ético en el que se funda nada menos que un nuevo orden internacional?

28

El proceso de la creación novelesca, ¿no es una cuarentena? Durante el lapso necesario a la composición de la obra, el autor ¿no debe retraerse del mundo y establecer en torno a él y su material de trabajo un auténtico cordón sanitario, con protección y barreras? El poder contaminador de la escritura, del que es la primera víctima antes de convertirse en instrumento, ¿no impone un retiro similar al de los reclusos de un lazareto o monjes de clausura poseídos por Dios? Su aventura insensata de reunir y ordenar los elementos del texto en un ámbito impreciso e informe, establecer entre ellos una fina telaraña de relaciones, tejer una red de significaciones por encima del espacio y el tiempo, ignorar las leyes de la verosimilitud, desechar las nociones caducas de personaje y trama, abolir las fronteras de realidad y sueño, desestabilizar al lector multiplicando los niveles de interpretación y registros de voces, apropiarse de los acontecimientos históricos y utilizarlos de combustible al servicio de su proyecto, vivir, morir y resucitar para sí y los demás, ¿no exige la condensación de todo ello en un locus mental cuidadosamente dispuesto para incubar la enfermedad contagiosa e impedir su dispersión prematura? Como las otras epidemias, la germinada en el caldo de cultivo del novelista busca, pasada la cuarentena, su natural prolongación en la figura receptiva del lector, destinatario de su propuesta infecciosa y fecunda. Desde el momento en que éste asume el riesgo de la aventura, vive la cuarentena él mismo, aislado del mundo en su propia burbuja, absorto en el gozo de la contaminación. ¡Cuarentena del autor, cuarentena del lector, cuarentena del libro, indispensables a la acción energética, transformativa de la palabra escrita! El ojo de la imaginación en el campo de la escatología, ¿no ha sido secularizado acaso por los novelistas objeto de su admiración?

29

Su mujer le había aconsejado el autobús —el 93, en la Porte Saint-Martin, te dejará justo en la esquina, dijo—, pero su arraigada querencia al metro fue más fuerte y, sin atender a los inconvenientes del transbordo y cambio de línea, se hundió en el subsuelo urbano por la boca más próxima y descubrió satisfecho que el portillo automático con batiente se abría ante él sin necesidad de billete, como movido por un respeto sobrenatural. El hecho le pareció de buen augurio y, mientras viajaba en un vagón atestado de público, apretaba contra el pecho la cartera con los libros y documentos destinados a avalar su sinceridad y buena fe en el interrogatorio de los escrutadores. Las tres preguntas mecanografiadas no ofrecían demasiadas dificultades pero, horas después de recibir la misteriosa misiva, halló una cuarta, escrita con tinta invisible en el reverso de la hoja, cuyo contenido, al transparentarse, le llenó de perplejidad: «¿Qué clase de libro está escribiendo Vd. y qué papel desempeñamos en él?». Aquello era imposible de aclarar por carta y había resuelto acogerse a la posibilidad, prevista en el reglamento, de una exposición oral del tema en la oficina del Tribunal de Cuentas. Para no ceder al desánimo y conservar la indispensable sangre fría, concluyó que se trataba una vez más de una añagaza de Muncar, con el designio de poner a prueba sus nervios y verificar su agilidad mental y natural ironía. Como le había explicado a ella después del tránsito, su breve experiencia con él desmentía rotundamente las leyendas sobre su rigor y presuntos ramalazos de sadismo.

(¡Con su pareja, las cosas no eran tan claras!)

El Tribunal pillaba cerca de la estación y se encaminó a él con aire desenvuelto, asido siempre a la cartera de pruebas y documentos, tranquilizado por la normalidad del ambiente y aspecto sereno de las personas que, por una razón u otra, acudían a él. Subió la escalinata sin dejarse avasallar por la conminatoria majestad de las columnas de la fachada, penetró en el inmenso vestíbulo hormigueante de público, esperó su turno en la cola de la ventanilla de servicios informativos y recibió una cartulina indicativa del piso, pasillo y número de despacho de sus examinadores; en otra, de diferente color, figuraba su propia cifra identificatoria. Un ujier con cejas y perilla de diablo le condujo amablemente desde las zonas más concurridas y ruidosas a los pisos superiores y a primera vista vacíos en donde reinaba el silencio. Le mostró un banco, a un extremo del pasillo y le rogó que aguardara allí. Cuando estén listos, le avisarán, dijo. Se sentó, tras murmurar las gracias, con la cartera en las rodillas, aprovechando la pausa para memorizar con naturalidad las respuestas. La espera no le inquietaba: sabía que los examinadores no daban abasto y no podían despachar con rapidez por mucho que se esforzaran. De vez en cuando, se abría alguna puerta del corredor y una cabeza femenina emergía fugazmente para cerciorarse de su presencia, el tiempo de dirigirle una mirada neutra y desaparecer. Como la situación se prolongaba, se incorporó a estirar las piernas y dar unos pasos. El corredor seguía desierto, pero detrás de las macizas puertas de roble de los despachos percibía ajetreo de funcionarios, llamadas telefónicas y tecleo de máquinas de escribir. Desde otras, se filtraba el eco sordo de preguntas formuladas con altavoces, entreverado con ayes y gemidos. Asegurándose de que nadie le espiaba, se detuvo ante una puerta ornada de una lámina con imágenes de mujeres y hombres desnudos, con boca de perro, orejas de cabra, pezuñas de toro y lana de borrego: aunque apagados, llegaban hasta él gritos y lamentos, ráfagas de un viento nefasto. En el despacho contiguo, un aviso polígloto prevenía de que allí se registraba y archivaba, como en la aduana, el total de las culpas del alma atormentada *donde el Cocito su frialdad encierra*. Si su memoria no le engañaba, ¿no pertenecía aquel verso al Canto XXXI de la «Comedia»? Cuando se disponía a entreabrir la puerta y fisgar adentro, el ruido de un pestillo le obligó a desistir y regresar aprisa al banco señalado por el ujier. Una mujer malhumorada y con gafas se había parado frente a él. Su número, dijo. Él le entregó la cartulina y abrió inmediatamente la cartera para mostrarle el certificado médico con el resultado de sus análisis. Como puede usted ver, la frecuencia y densidad de las deposiciones es absolutamente normal, sin ninguna irregularidad ni incidencia parasitaria. Tampoco muestra la presencia de albúmina, reveladora de una lesión de la mucosa intestinal cancerosa o inflamatoria. Carraspeó: en cuanto a la pregunta anterior, si me permite seguir el orden inverso, después de mucho recapacitar y evocar los veraneos en la propiedad que poseía mi familia, creo poder afirmar que me masturbé por primera vez a los doce años, esto es, en 1943, probablemente en el mes de julio... Pero el rostro impaciente y poco ameno de la funcionaria le indujo a cortar la exposición: pienso que los doctores Naquir y Muncar preferirán registrar mi declaración en persona.

Todas las puertas del corredor se han abierto de golpe y docenas de cabezas idénticas y empequeñecidas gradualmente por la distancia, como en la galería de espejos de una feria

(o una escena de «La dama de Shangai», dice tu mujer, que ha entrado a saludarte en la pieza sin que tú lo adviertas y ha leído el último párrafo por encima del hombro)

te analizan de pies a cabeza, con ojo fiscal y mirada censoria.

¿Quién le ha dicho a usted que Naquir y Muncar trabajan aquí?, grita la funcionaria. ¡Pese al excesivo porcentaje de población emigrada que desdichadamente acogemos, su competencia no se ha extendido nunca al interior de nuestras fronteras! En cuanto a los datos de usted, no figuran en cualquier caso en los ordenadores y no podemos hacernos cargo de su expediente aunque su origen sea católico, apostólico y romano. Mejor coja el avión y vuele directamente a El Cairo. En su aeropuerto le procurarán un escribiente que le ayudará a tramitar el papeleo. Tome por su cuenta un taxi y vaya al macabro Sur: los encontrará allí de noche en algún mausoleo o zagüía de la Ciudad de los Muertos.

30

La cuarentena moral de la guerra había incidido en su vida, ahuyentando tenazmente el sueño y socavando el decurso de su jornada con imágenes sangrientas y visiones oníricas. El silencio insólito de la medina de los Siete Hombres Santos se había ido adensando conforme pasaban los días y la conciencia de la magnitud del desastre cundía en el ánimo de los habitantes con quienes se cruzaba en sus visitas esporádicas a la Plaza. El paseo ocasional al antiguo escenario de la luz le permitía aferrarse a la esperanza de una continuidad existencial, duramente sacudida y puesta a prueba por la difusa agresión de que era objeto.

Hubo una etapa en la que su atención convergía en Saruh: la juventud no le había desdeñado aún, dejándole en seco y aprieto e, imantado por la brújula del deseo, buscaba y encontraba en él el norte de sus vagabundeos y andanzas. Su facundia, humor, complicidad furtiva más allá de la diaria exhibición en la halca cifraban entonces su noción de dicha. Anclado en la Plaza, en el núcleo de sus delicias, admiraba su talla y arrogancia, cráneo afeitado, nuca poderosa, dientes enfundados en oro, labia procaz, exhibición de fuerza, robustez jenízara. Todo había quedado atrás, muy atrás, descabalgado por la ligereza del tiempo y su rauda esquivez de venado.

Ahora tropezaba tan sólo con sombras, surgidas como él de las tinieblas, rostros de gravedad extrema, fieles pendientes de la llamada del almuédano, comerciantes sentados a la puerta de sus bazares desiertos, viejos y jóvenes con el oído pegado a la radio. Los turistas habían desaparecido de los zocos: las terrazas panorámicas del Glacier y el Hôtel de France estaban absolutamente vacías.

Contemplaba con la intensidad de un condenado a muerte las grupas escurridas de las cordilleras nevadas y reverberantes de luz, asomando por encima de los edificios rosados y ocres, perfiladas con nitidez en un cielo purísimo. Había saludado con una inclinación de cabeza a los maestros gnauas sentados en el café y buscaba la inmediatez apaciguadora de Cherkaui, el último sufí de la halca. Lo encontró en su puesto habitual, con su alfombra, palomas amaestradas, escaras recamadas de conchas de peregrino, chilaba recosida y mísera, rostro desgreñado e hirsuto, estampa arisca pero impregnada de una secreta dulzura. Se sentó a su lado sin prevenirle, atento a la salmodia de sus preces e invocaciones ardientes al amor y misericordia. ¿Había entre la lógica de la guerra y la lógica del dinero una posibilidad de subsistencia, por frágil que fuera, de las palabras primordiales? El viejo le había reconocido e interrumpió su letanía para besarle. Una sensación pacífica y amistosa se propagó por su cuerpo, como analgésico después de un dolor agudo y recalcitrante. El sosiego y benignidad de Cherkaui parecían difundirse por la halca e investir el anillo de espectadores de una leve belleza moral.

Cuando la divisó a ella, como en transparencia, en medio del corro, no experimentó sorpresa alguna: sólo la alegría de reencontrarla en una ciudad que nunca conoció y de la que se habría enamorado sin duda. Vestía una camisa sencilla y tejanos y permanecía serena, tal como le esperaba al salir del aula, embebida en la lectura de Quevedo, entre músicos aficionados, hippies, estudiantes y jugadores de baloncesto puertorriqueños y negros, en el césped soleado de Washington Square contiguo a la universidad.

31

Estaban en la sala de estar comentando las últimas vicisitudes de la guerra —acolchados por el silencio insólito de la ciudad que, desde su primer flash, parecía sumida motu proprio en un amedrantado toque de queda— cuando el teléfono zumbó con brusquedad. Su mujer descolgó y permaneció con la oreja pegada al auricular. Debe de ser del extranjero, dijo: el sonido es muy raro. Él cogió maquinalmente el ejemplar anotado de Dante y comenzó a releer por enésima vez la descripción del noveno círculo del infierno tratando de descubrir, sin demasiada convicción, nuevas concordancias con la de al Saqar y al Tará, nido y mansión de Satán y sus ejércitos según las primeras versiones del «Miarax». Sí, está aquí, dijo su mujer al cabo de un tiempo. ¿Quién le llama? ¿Cómo dice usted? Le tendió el teléfono, procurando tapar el receptor con la mano: es del despacho de unos señores Natir y Munar, no he entendido bien; en cualquier caso, de Egipto. El corazón le dio un vuelco: necesitaba unos instantes para recobrar su dominio y carraspeó antes de decidirse a hablar: hello? Un momento, dijo una voz femenina, áspera y levemente chillona, ¡no se retire, por favor! Comenzó una espera interminable, acompañada de estridencias, rechinamientos, retazos de conversaciones interpoladas en árabe e inglés. La voz repetía a intervalos, no se retire, estamos buscando a su comunicante y se volvía a apagar. Él aguardaba, reteniendo el aliento y, poco a poco, a medida que se prolongaba el suspenso, creyó escuchar ráfagas airadas de viento, voces de súplica, gemidos humanos, sorda explosión de motores.

Observó que mientras las palabras de la telefonista eran cada vez más remotas y espaciadas, los ruidos y gritos arreciaban y adquirían una amenazadora proximidad. ¡Llovían grandes lenguas inflamadas y la arena se encendía como yesca! ¿Era la telefonista quien se expresaba en esos términos o le habían conectado por error con los altos hornos y montacargas de una acería o el espacio apocalíptico erizado de grúas de un búnker en demolición? ¡Señorita!, gritó. Pero sólo percibió el rítmico machaqueo de taladradoras o martillos pilones triturando escombros. Los ayes que llegaban a sus oídos, ¿provenían de cuerpos sepultos e indefensos en medio del polvo, fragor y ferocidad de las máquinas? El mensaje a todas luces grabado se perdía en una estremecedora confusión de aullidos, súplicas y lamentos. ¿Qué debía hacer? ¿Cortar la comunicación? ¿Afrentar la jerarquía y dignidad de sus examinadores predisponiéndoles contra él? ¿No le estarían sometiendo precisamente a aquella prueba para medir su paciencia y el respeto debido a su autoridad? Una carcajada violenta, estentórea, agrandada y reproducida por el eco como en una inmensa caverna o bóveda le sacó de dudas. ¿Quiénes podían reír así sino ellos? La certeza de tenerlos al fin al otro extremo del hilo le colmó de íntima suavidad. Se preguntaba, dichoso, con cuál de los dos hablaría primero cuando, abruptamente, la comunicación se interrumpió. Aguardó unos segundos, presa del desaliento, antes de gritar con todas sus fuerzas: ¡Señorita, por favor! ¡Se ha cortado! Señorita, ¿me oye? Pero escuchó únicamente un contestador automático que repetía incansablemente en árabe: Por saturación en las líneas no podemos atender su llamada. ¡Marque, por favor, dentro de unos instantes!

32

Imaginó que, desviándose del recto sendero en el que se había despojado de sus sandalias para acceder a las esferas lumínicas descritas por Ibn Árabi, se internaba en un paisaje de tierra baja inculta y llena de maleza, conocido en su idioma por gándara. Divisaba a su derecha, en el ámbito del primer cielo, a un ángel con cuerpo de nieve en su mitad superior y de fuego en la inferior, que invitaba con sus cantos a todas las criaturas sutiles y crasas a fundir la caridad de sus corazones en un solo cuerpo, como lo estaban en el suyo la nieve y el fuego no obstante su naturaleza antinómica. Con melancolía, contaba a los escasos viajeros de la vía recta, cada vez más lejos, camino de la luz: alguien les ofrecía para calmar su sed unos cuencos con miel, vino y leche y ellos, siguiendo el ejemplo del Profeta, escogían con tino la perfección láctea. Pero las dificultades de su propia senda, tortuosa y quebrada, con alambres de espino y oscuridad artificial, le obligaban a avanzar con gran tiento, temeroso de caer y sumirse en uno de los pozos laterales, repletos de sierpes y alimañas. Ella había seguido al grupo de los peregrinos a la luz y le hacía señales de volver atrás. Desdichadamente, como en la visión de los caminantes de Salé acaecida a Ibn Árabi, los pies no le obedecían. Entonces avistó a la Dama de la Sombrilla, con su traje de organdí color lila, con vuelos de encaje y grandes lazos, collares de abalorios, medallas y camafeos, medias blancas, zapatos de tacón abrochados en el empeine con joyas y diamantes falsos. Fumaba un cigarrillo emboquillado y se abanicaba furiosamente, como sofocada por el calor.

Bonjour l'ami, ne soyez pas si pressé! La route est très longue et fatigante. Vous ne voulez pas boire un verre avec moi?

(¿Otra vez allí? ¿No la había dejado con el panel de islamólogos en los estudios de televisión?)

Hep jeune homme! Si je me permets de vous appeler comme ça en dépit du fait que vous n'ayez plus vingt ans c'est parce que vous conservez le charme et l'esprit de la jeunesse, sa séduction! J'aimerais pouvoir parler avec vous dans un endroit plus intime...

Sus ojos globulosos y azules, circuidos de cejas postizas y patas de gallo concertaban con su boca glotona y ávida, la punta de su lengua sinuosa, sus muecas de pizpireta atropellada de súbito por los años.

Je connais un motel près d'ici. Chambres tout confort, boissons, lumière indirecte, matelas aquatique, vidéos porno...

Le guiñaba el ojo, como el obturador de una cámara fotográfica entre disparo y disparo.

Venez, je vous prends par le bras! Il n'y a rien de meilleur au monde qu'une bonne partie de jambes en l'air avec une experte comme moi!

(El primer plano guiñolesco de su rostro, ¿iba a prolongarse aún? Lo apartó de sí de una manotada y en aquel mismo instante se despertó.)

33

Estabas en la casa de París, acostado junto a tu mujer, absorto en la obra que pensabas escribir y, habiéndote quedado traspuesto, se te apareció un joven gallardo y alto, de pecho macizo y robusto, miembros nervudos y esbeltos. Su piel brillaba con discreta fosforescencia y, a causa de su sutilidad y ligereza, comprendiste que se trataba del mismo que había encarnado en la alhama. Levántate, vístete y ven en pos de mí, dijo. Le obedeciste, procurando pisar con levedad el suelo y le seguiste al despacho. Allí, el desconocido apuntó con el dedo a tu mesa de trabajo y ordenó que te sentaras. Entre las carpetas y resmillas de holandesas, divisaste una pluma de claridad, larga y ancha, de al menos una noche de andadura. Cógela, ordenó, y escribe sin parar cuanto te diga. Obedeciste, lleno de temor y reverencia y empezó a dictar con voz firme, con sus puntos, comas, paréntesis, guiones, interrogantes y espacios en blanco los 32 fragmentos que hasta ahora integran el libro. El joven levitaba en la pieza y se dirigía a ti tan pronto desde el suelo como suspenso en el aire, recostado en una alfombra invisible. Aunque inmerso en tu labor de escritura, observaste su cuerpo de singular transparencia: podías ver su corazón luminoso y la médula de sus huesos, como un hilo blanco dentro de un pomo de cristal. Adivinabas incluso sus pensamientos —como él leía los tuyos— y a veces te adelantabas a su dictado, anticipando la frase que te iba a inspirar. La tarea era ardua, pero no experimentabas ningún cansancio. Su inmediatez y la fragancia que despedía instilaban en tu ánimo una suave sensación de refrigerio y amparo. Toda la noche compusiste el libro en un delicioso estado de enardecimiento. Al amanecer, cuando la ceja del alba coloreaba los tejados de pizarra, el mensajero se despidió de ti con una inclinación y se esfumó en la diafanidad del aire con la presteza de un personaje de Sharazada en los aposentos del califa abasí. Volviste a tu cuarto y encontraste a tu mujer ovillada en su sueño. Al acomodarte a su lado, se despertó. Viéndote tan exaltado y dichoso, preguntó la causa. Le referiste lo ocurrido. Sin dar manifiestamente crédito a lo que oía, aconsejó que te acostaras y descansases unas horas para recuperar tu vigilia. Pero tú querías telefonear al amigo que mecanografía tus textos, entregarle cuanto habías escrito a dictado del ángel.

¿Estás loco?, dijo ella. ¡Te va a tomar por un chiflado y morirse de risa! ¿Quién va a creer que has redactado el libro de una sentada, en el espacio de una noche? ¿No ves que te dirá que le cuentas chufas y fablillas?

Para convencerla de que no era un sueño, fuiste al despacho a recoger y mostrarle las pruebas de cuanto habías hecho. Sólo entonces advertiste perplejo —con esa perplejidad que, según confiesa, se adueñaba a menudo del propio Ibn Árabi— que la pluma resplandeciente se había esfumado y los 32 fragmentos previos estaban pasados a máquina.

¡El que habías agregado a mano era en realidad una adaptación sui generis del «Libro de la escala» del Profeta, cuya traducción ordenó Alfonso el Sabio y de la que Dante se sirvió para construir su «Comedia»!

34

Después, fatalmente después de lo ocurrido, había buscado de modo retrospectivo, primero a solas, luego con su mujer, los signos premonitorios de la inminente despedida, los síntomas del éxodo. La recordaba sentada junto a la mesa baja de su antiguo despacho con la misma sonrisa confiada de la fotografía que contemplo mientras prendía uno de sus Gauloises Bleues o lo aplastaba cuidadosamente en el improvisado cenicero. Hablaban de la «Comedia» y sus correspondencias con la mística islámica. Ella —suspendida ya sin saberlo al inexorable cuenta atrás de unos latidos cortos y frágiles— había leído exaltada: *Pero ya mi corazón asume todas las formas: / claustro del monje, templo de los ídolos, / prado de gacelas, Kaaba del peregrino, / tablas de la Tora, texto del Corán. / Yo profeso el credo del amor / y, doquiera que él dirija sus pasos, / será siempre mi fe y mi doctrina.* Si el manto de la misericordia abarcaba todo lo creado y hasta los minerales mismos —¡una comunidad como las otras!— glorificaban la Creación, ¿no había roto Ibn Árabi los velos y límites de Dante en su visión de ultratumba? Miraba por la ventana entreabierta los tejados de pizarra y abigarrada miscelánea de nubes vivamente coloreadas por el sol con una emoción que él no había interpretado bien, inmerso como estaba en la dimensión puramente literaria de la charla. Entonces, de pronto, ella había hablado con calma de la violencia del universo. No la del minúsculo planeta en el que vivían sino la inconmensurable del Cosmos: astros ígneos emisores de rayos letales; estrellas muertas y frías; novas difusoras de elementos radioactivos; cuásares de fabulosa e inexplicable irradiación energética; nebulosas espirales y galácticas; agujeros negros cuya gravitación arrastra y sume en el vórtice de su remolino a los cuerpos celestes extraviados en sus cercanías. Violencia alucinante, inaudita, salvaje de estrellas situadas a millones de años luz de nuestra diminuta galaxia que, tras haber usado una ínfima parte de su energía en el breve lapso de su existencia, desaparecen en una explosión de dimensiones inimaginables, originando choques brutales, radiofuentes de sobrecogedora potencia, aceleraciones vertiginosas, catástrofes en cadena en un mundo de zumbido y de furia, ese mundo fundado en el caos, litigio, devoración, encuentro ciego de fuerzas opuestas descrito por Rojas en «La Celestina», ¿recuerdas? Se detuvo. En el aire flotaba una pregunta que no llegó a formular: ¿podía existir una partícula de amor y dulzura en aquel orbe sin límites de aniquilación y terror? Callaban los dos y contemplaban las formas cada vez más extrañas y conminatorias de las nubes, en negra y apretada confederación. Va a llover, dijo ella al fin, incorporándose de su asiento.

(¿Le había dejado entonces la «Guía espiritual» de Molinos y la invitó a cenar el día siguiente?)

No, fue el mismo día, dijo su mujer. Habíais pasado la tarde revisando las traducciones y le pedí que se quedara con nosotros. Recuerdo que vestía jersei y tejanos y llevaba la cadenilla de oro de la foto.

¿Hubo algo en su conducta y palabras que les llamara de algún modo la atención? Escarbaban, exhumaban sus memorias de aquella noche, la conversación con los demás comensales, las referencias literarias y cinematográficas sin advertir que una presencia invisible, agazapada tras ellos, asistía a la escena, tomaba posesión de su cuerpo, la aureolaba para siempre ante sus amigos de una fresca y perdurable juventud.

(Nada permitía prever el final abrupto ni el paso inminente a la sutileza.)

Cuando nos despedíamos, te reclamó un libro y fuiste a buscarlo al estudio.

(Su mujer tenía razón: fue entonces cuando le prestó la «Guía» y le besó por última vez las mejillas frente a la puerta del ascensor.)

35

Libre al fin del agobio de la Dama de la Sombrilla, puedes discurrir a tus anchas, divagar por las inmensidades celestes, verificar la exactitud de lo escrito en tu ejemplar del «Miarage» o «Escala». Viajas a solas como en la Tierra, al margen de los circuitos turísticos en autobuses climatizados, con música de fondo, comentarios previamente grabados y guías oficiales políglotos. Embebido de tus lecturas escatológicas, detienes el vuelo y levitación de la pluma para abstraerte en la visión de ángeles de luz, aves prodigiosamente verdes, Profetas sentados en sillas radiantes y con las cabezas envueltas en telas de claridad purísima, espíritus de fuego, pupilas que tiemblan setenta mil veces al día por temor de Dios, pestañas de deslumbrante hermosura grandes como un arcoiris. Almuédanos de voz dulce convocan a las ánimas bienaventuradas a la oración y miríadas de criaturas convergen raudas a proclamar la Unicidad divina desde toda la rosa de los vientos. Anegado en ellas, examinas el puente delgado, estrecho y más sutil que un cabello o el filo agudísimo de una espada por el que las almas cuitadas caminan haciendo equilibrios para no caer en los abismos de la gehena. Recorres las páginas del libro tratando de imaginar a los ángeles de setenta mil cabezas, cada una de ellas con setenta mil caras y cada una de éstas con setenta mil ojos, como en las observaciones microscópicas de polarización de sustancias diversas, con sus fantásticas refracciones luminosas, apoteosis visual y belleza inquietante. Extraviados en la infinitud de los parajes, distinguirás a tres personajes familiares, sentados en torno a una mesa sobre una tarima profesoral, como náufragos en isla desierta. Te acercarás a ellos y comprobarás que son George Sand, el Politólogo y el Sicoanalista, enzarzados aún en contrapuestas teorías, pese a que nadie les rodea ni presta atención a sus palabras. El joven de rostro enjuto, envuelto en una chilaba raída y tocado con un gorro de duende que fumaba una pipa de kif acuclillado a la puerta de la alhama los sostiene ahora, con tarima y todo, en el cuenco formado por la palma de sus manos, sonriendo con la gloria de un niño en posesión de un nido de pájaros. ¿Les protege de algún peligro? ¿Va a soplar sobre ellos y dispersarlos como vilanos? O, ¿se despertará de pronto en su tabuco de Riad Ez-zitún y referirá al cancerbero de la alhama el extraordinario contenido del sueño?

¿Figurarás tú en él?

Una pregunta te atormenta: ¿quién será el soñador y quién el soñado?

36

Agarró el toro por los cuernos, cogió el avión por los pelos, voló a El Cairo. El trayecto fue un breve sueño durante el que pudo contemplar la insignificancia del mundo, minúsculo como un grano de mostaza en la palma de la mano. A su llegada, todo sucedió como había dicho la funcionaria del Tribunal de Cuentas. Entre los policías e inspectores encargados del control de viajeros, divisó a punto al joven de la alhama aureolado de un resplandor discreto. Comprobó que atravesaba sus cuerpos sin dañarlos y sin que los interesados lo advirtieran. Decidió seguir sus pasos y hacer como él, poniendo los pies en donde él los ponía. Apenas alzaba el otro la suela de un lugar plantaba allí inmediatamente la suya, sorteando las garitas una a una sin que nadie le sellara el pasaporte ni se percatara de su entrada. Un taxi brillante y negro, con cauta y fluvial apariencia de saurio, aguardaba frente a la terminal de viajeros y arrancó en cuanto subieron a él. Atravesaban velozmente una ciudad desierta como en los minutos que preceden la ruptura del ayuno de Ramadán, sin cruzarse con vehículos ni topar con semáforos. El chófer reía, silbaba, rechinaba de dientes, emitía sonidos guturales, resollaba, como poseído de una inspiración jovial y anárquica. ¿Sabía al menos adónde les conducía? Ni el joven mensajero ni él habían cambiado palabra ni indicado su punto de destino; pero el auriga —prefería llamarle así— parecía conocer bien el camino, satisfecho de la misión que cumplía, absorto en la nocturna correría e intensidad de su fruición. ¿Se enfrentaba con él a un cuerpo sutil del barzaj o a una manifestación epifánica? En vano intentaba vislumbrar su figura en el espejo ciego del retrovisor: el turbante en el que ceñía su testa le hurtaba a la curiosidad de las miradas. ¿Poseía el don de la palabra o sólo aquel registro de sones crudos del herido por la visión beatífica o el éxtasis de la penetración? El vehículo discurría con suavidad enigmática por entre los mausoleos de Qait Bey, dejaba a su izquierda el empalme con la montaña sagrada de Mokattam, bordeaba las puertas y muros posteriores de la Ciudadela, descendía la pendiente hacia Bab al Qarafa, se internaba, se internaba al fin en el perímetro de la Ciudad de los Muertos. La luna no ilustraba las estelas y cipos de las tumbas, las cúpulas estriadas de los mausoleos ni las calles polvorientas cercanas a la mezquita del Imán Chafaai. Reparó en que el auriga aceleraba sus roncos, espasmódicos jadeos conforme torcía a la derecha por el itinerario tantas veces recorrido por él, en realidad y sueño, hacia el panteón en el que había dormido durante su anterior estancia. Lo reconoció a pesar de la espesa tiniebla y tanteó la verjilla que el viejo cerraba cuidadosamente con candado. ¡Estaba abierta! La empujó y volvió a ajustar tras él. Mensajero y auriga le habían abandonado: oyó el ruido del automóvil al ponerse en marcha y alejarse de él con sigilo. Se deslizó a paso quedo frente al cuchitril en el que el guarda albergaba a un diablo empozado. ¿Había tomado el viejo la elemental precaución de correr el cerrojo o iba a reservarles el huésped alguna sorpresa con su escolta traviesa y lucífuga? Prosiguió el camino hasta las gradas y entrada del mausoleo, empujó delicadamente la puerta, buscó a ciegas la yacija del guarda junto a la losa maciza del hipogeo. El viejo seguía allí como antes, perceptible en su respiración entrecortada. Se disponía a acostarse a su lado cuando escuchó una voz imperiosa intimándole a cerrar el panteón. Obedeció con presteza mientras intentaba localizar en la tiniebla y densidad del silencio el micrófono o altavoz de donde provenía. Bruscamente, se encendió la pantalla de un televisor.

37

Acomodado en tu tumba, como un muerto

(¿quién ha cerrado tus párpados, obturado los oídos y fosas nasales con algodón, sujetado pies y mandíbulas con una cinta, cruzado las manos sobre el pecho e inclinado tu cuerpo a la derecha conforme a la alquibla?)

contemplas imágenes de ruina y desolación: muros de ladrillo ennegrecidos, fachadas decrépitas, amasijos de cables telefónicos y eléctricos, hoyas inmensas abiertas por bombas, chimeneas truncas envueltas en vaharadas amarillas, maléficas. La cámara parece demorarse, como con regodeo, en planos de fuego apocalíptico, piedras sulfúreas, pozos vomitando llamas en un fondo de sol cremante y negro, diurnos paulatinamente oscuros, nubes sombrías y opacas, luces rasantes brotadas del suelo, noche artificial terrorífica. ¿Sopla el estéril viento, duro y cruel como mujer que no pare? No, dirá la voz, estas no son ilustraciones de Doré ni pinturas del Bosco. ¡No busques en los Cantos del Infierno ni en las descripciones del «Miarage»! Naquir y Muncar parecen reir durante la breve ofuscación de la pantalla. ¡Mira, mira bien cuanto habéis hecho! ¿Qué necesidad tenemos nosotros de repetir lo inventado? ¡Hogueras, millones de hogueras de todas las formas y tamaños! ¡Llamas sinuosas y agudas, cráteres de azufre rojo, criaturas fundidas, cuerpos deformes y blandos, niños y mujeres ardiendo como algodón cardado! ¡Los nueve círculos de Dante y siete gehenas del «Libro de la escala» con sus diversas especies de precitos se hallan aquí! ¡Pero vosotros habéis mezclado a inocentes y reos, castigado a aquéllos y ceñido a éstos de coronas y lauros! ¡Fíjate en esa asamblea oronda de padres de proyectiles balísticos con cabezas químicas y nucleares, bombas de descompresión, pulcro exterminio científico; en esos fabricantes y expertos, diseñadores de armas inteligentes y limpias guiadas por láser y blanco con retícula! ¡Ellos y los pilotos que las lanzan, sembrando la muerte con indiferencia de Parcas, sufrirán un tormento especial, desconocido de los autores en cuya obra te empapas! ¡El de pilotar ad vitam aeternam uno de esos aviones invisibles indetectables por radar y apuntar al objetivo aséptico, impersonal y lejano ordenado por el Alto Mando sin advertir que la carga mortífera se dirige nada menos que a su propia casa: sí, a la de la querida familia cuya foto llevan en la cartera o pegan sobre el cuadro de mandos del aparato, a esos rostros risueños y dulces de sus hijos y medias naranjas! ¡El de contemplar con desesperación e impotencia sus caras demudadas de terror, miembros convulsos, boca abierta en la emisión de un inútil aullido antes de que su arma puntual y perfecta los destroce y machaque! ¡Una escena de segundos, pero de segundos interminables que se reproducirá trillones de veces hasta el Juicio Final!

Las carcajadas de Naquir y Muncar resuenan en la bóveda y se demoran en el eco mientras el televisor reitera sus estampas de terneza y horror, remanso y aniquilación, castigo implacable, dicen, de los fundamentalistas de la tecnociencia.

El filme ha concluido y el panteón queda a oscuras. Inquieto, temiendo que te dejen en la estacada sin someterte al obligatorio escrutinio, preguntarás, elevando la voz, qué han decidido hacer contigo: ¡has venido expresamente a saberlo, quieres conocer tu destino, salir de una vez de la cuarentena!

La pantalla se enciende de nuevo y leerás el mensaje destinado a ti: ESTO ES SÓLO UNA VISIÓN. LE ESPERAMOS AQUÍ CUANDO FALLEZCA DE VERAS.

A medida que te desprendes del sueño, escucharás a tu lado en sordina los ronquidos apacibles del viejo.

38

Concluía la guerra, empezaban las diásporas. Desde la ventana de su casa seguía a la triste caravana de fugitivos con la nariz pegada a los cristales empañados a causa de la crudeza de la estación. Primero, la de automóviles, camionetas y sidecares cargados de bultos y familias; luego, de vehículos de tracción animal, con maletas, niños y ovejas; por fin, la interminable fila de mujeres y hombres ateridos de frío, agotados por una larga marcha: ancianos desvalidos y exhaustos, madres con sus hijos liados a la espalda, al borde de la consunción. Se detenían extenuados a sollozar, hacer sus necesidades o suplicar un pedazo de pan, una escudilla de rancho de los patriotas en desbandada. Coches y motos averiados, animales muertos, colchones y fardos inútiles yacían al borde de la cuneta, en la desesperada huida hacia las montañas. El terror a los bombardeos, a la brutal represión del Ejército, les privaba de razonamiento y convertía en un rebaño mísero y aterrado, un hormiguero pisoteado y disperso. El chiquillo con su hermano menor a cuestas, el viejo que transportaba a hombros la silueta endeble y dolorida de su mujer, ¿conocían el lugar adonde se dirigían y la acogida que se les reservaba? ¿Iban a ser admitidos por los guardias fronterizos, rechazados a culatazos, apriscados entre alambradas en campos inhospitalarios, devueltos sin contemplaciones al enemigo? Nadie lo sabía ni parecía planteárselo. La magnitud del desastre había arramblado con todo, dejándolos en el desamparo y desnudez primitivos de una historia repetitiva y cruel: pánico, mero instinto de vida, esa luz de animal acosado albergada en el fondo de las pupilas, incredulidad, vidriado estupor de quien muere a manos de matarife anónimo o en milenario ritual de sacrificios votivos.

Acurrucado en su pequeño reino, presenciaba el éxodo de pueblos enteros, sin guías ni jefes, travesías del Mar Rojo ni Moisés salutífero: ¡ninguna ilusión de Tierra Prometida al término de su huida confusa y atropellada! ¿Eran kurdos supervivientes de Halabxa, de Dahuk, de Mosul o simplemente aquellos paisanos suyos que cincuenta y dos años antes habían atravesado asimismo sucios y harapientos, con su estela de excremento y cadáveres, el pueblo catalán en donde vivía refugiado? Las imágenes reproducidas en el telediario, ¿correspondían a lo acaecido después de cuarenta días de infierno aéreo o exhumaban recuerdos sepultos en su memoria de la sombría guerra civil?

Dudaba, dudaba todavía.

Pues, ¿quién escribía de verdad aquella página? ¿El autor sesentón inclinado a su mesa de trabajo o el niño ignorante que asistía por vez primera en su vida al derrumbe de un sueño y el fin abrupto de una esperanza?

39

¿Te das cuenta?, dijo ella. Estamos ya al final de la cuarentena. Un día más, un texto más y me separaré de ti, lejos del barzaj, desvanecida para siempre en la sutilidad, hasta la Gran Resurrección anunciada. Te observaba desde la foto con melancolía, con sonrisa fugaz de angustiosa precariedad, como en los tiempos en que venía a tu antiguo estudio con sus traducciones y hablábais de Cervantes y Rojas, de Dante e Ibn Árabi. Vuestro encuentro inesperado después de su tránsito le había procurado una gran ayuda, dijo: el peso de lo informulado, de cuanto no había expresado en el mundo craso y se almacenaba en su fuero interno como tinta inútil en el tintero le impedía la fruición integral de su nuevo estado. ¿No se había desarrimado del todo de lo sensible, como ella creía, o era el ojo de tu imaginación el que no había alcanzado a representarla sino en la forma y apariencia de antes? La acumulación de acronías, dislates, mutaciones espacio-temporales a lo largo de vuestros vagabundeos, ¿habían existido en la realidad material u obedecían a tu lectura interiorizada de Ibn Árabi? Incapaz de responder con certeza, te limitabas a examinarla, asediado de dudas, mientras ella o su sombra permanecía con la mirada perdida en la perspectiva de tejados abuhardillados, cúpula verdebiliosa de la Ópera y siluetas lejanas, contrastadas de los rascacielos de la Défense.

¿Había llegado la hora de la despedida? La viste incorporarse de su asiento y preguntarte aún si te molestaba el humo. Sólo un Gauloise Bleue, el último, precisó. Le alargaste, siguiendo el rito, su improvisado cenicero y permaneciste acobardado junto al escritorio, cubierto de notas y cuartillas.

¿Vestía jersei y tejanos como en la noche en que cenó con vosotros y no la volvísteis a ver? Intentabas no mirarla.

Escribe, escribe sobre mí todavía, escuchaste. ¡Únicamente tu atención y la de quienes te lean podrá en adelante mantenerme en vida!

Todo aquello había ocurrido durante mi breve agonía. Cuando terminé el libro, me levanté del lecho en el que yacía sin que nadie lo advirtiera, me puse el único traje cruzado que conservaba, ajusté el nudo de una vieja y olvidada corbata y me dirigí en autobús al edificio del Tribunal. Pregunté al conserje y me indicó el ascensor que llevaba al séptimo piso, al punto de reunión de los convocados para la cuarentena. Cuando llegué, estaba vacío y, siguiendo los consejos del bedel, golpeé con los nudillos en la puerta maciza del despacho del interrogatorio en la que un pequeño rótulo de metal dorado anunciaba los nombres de Naquir y Muncar.